LA VIE ENTIÈRE

Récits

L'Œil américain, Histoires naturelles du Nouveau Monde, illustrations de Pierre Lussier, préface de Jean-Jacques Brochier, Boréal/Seuil, 1989. Prix François Sommer 1990.

Lumière des oiseaux, Histoires naturelles du Nouveau Monde, illustrations de Pierre Lussier, préface d'Yves Berger, Boréal/Seuil, 1992. Prix France-Québec Jean-Hamelin 1992.

Poésie

Poèmes de la froide merveille de vivre, Éditions de l'Arc, 1967. Épuisé.

Poèmes de la vie déliée, Éditions de l'Arc, 1968. Épuisé.

Au nord constamment de l'amour, Éditions de l'Arc, 1970. Épuisé.

Lieu de naissance, l'Hexagone, 1973. Épuisé.

Torrentiel, l'Hexagone, 1978. Épuisé.

Effets personnels, l'Hexagone, 1986. Prix Alain-Grandbois.

Quand nous serons (poèmes 1967-1978), l'Hexagone, 1988. Prix Québec-Paris. Grand prix de poésie de la Fondation des Forges.

Les paroles qui marchent dans la nuit, Boréal, 1994.

Théâtre

Marlot dans les merveilles, pièce pour les enfants, Leméac, 1975.

Tournebire et le malin Frigo suivi de *Les Écoles de Bon Bazou,* pièces pour les enfants, Leméac, 1978.

Charbonneau et le Chef, adaptation avec Paul Hébert du texte anglais de J. T. McDonough, Leméac, 1974.

Les Passeuses, Leméac, 1976.

Disque et cassette

Une journée chez les oiseaux, Société Zoologique de Québec, 1981.

Pierre Morency

LA VIE ENTIÈRE
Histoires naturelles du Nouveau Monde

Illustrations de Pierre Lussier

Boréal

Les Éditions du Boréal sont inscrites au Programme
de subvention globale du Conseil des Arts du Canada
et reçoivent l'appui de la SODEC.

Conception graphique : Gianni Caccia
Illustration de la couverture : Pierre Lussier
Photo des pages de garde : Michel Boulianne

Diffusion au Canada : Dimedia
Distribution et diffusion en Europe : Les Éditions du Seuil

Données de catalogage avant publication (Canada)

Morency, Pierre, 1942-

La Vie entière : Histoires naturelles du Nouveau Monde

ISBN 2-89052-757-3

1. Écologie humaine. 2. Homme – Influence de l'environnement.
3. Saint-Laurent (Fleuve). 4. Tendresse. I. Titre.

GF47.M67   1996   304. 2   C96-941064-6

À Laurette, ma mère.

Le temps est un fleuve qui me ravit, mais je suis le fleuve.

JORGE LUIS BORGES

LE CHEMIN QUI MARCHE

Il se passe parfois des choses énigmatiques dans la pièce où j'écris. Certains jours, dans le cours de la matinée le plus souvent, au moment où je prends la plume pour tracer le premier mot, les réalités dont je veux parler se précipitent autour de moi et soulèvent un tel charivari que j'arrive difficilement à poursuivre. Depuis quelque temps, par exemple, je cherche à représenter un cours d'eau gigantesque nommé Saint-Laurent. Mais chaque fois que je tente d'écrire le mot fleuve, la chose se manifeste d'une manière ou d'une autre. Hier matin, je n'y suis pas allé par quatre détours, j'ai saisi ma plume et tout en haut de la page, en capitales marine, j'ai écrit FLEUVE. La feuille aussitôt a commencé de frémir, des vagues se sont mises à clapoter, la surface de l'eau s'est troublée, une forme immense a surgi en jetant dans l'air une colonne d'écume. Et le bruit ! Imaginez un peu dans la pièce le grondement caverneux mêlé de sifflets, de cliquetis, de couinements stridents que les baleines utilisent pour parler.

Un peu plus tard, le calme s'est fait. Je suis revenu au travail. Encore une fois j'ai tracé, d'une écriture lente, appliquée, les mots suivants : LE CHEMIN QUI MARCHE EST UN FLEUVE. Je n'avais pas formé la dernière lettre qu'une large batture se dessina en longues herbes houleuses au milieu de ma feuille, qu'une volée d'oies sauvages explosa. Des centaines d'oiseaux blancs, avec le bout des ailes noir, se pressaient dans ma chambre. Je fus entouré d'un inimaginable tumulte fait de claquements d'ailes, de jappements nasillés, de trompettes et de clameurs. Pour travailler en paix, j'ai dû biffer ce que je venais d'écrire. La rumeur s'est éteinte.

Que faire alors ? Comment rendre compte de mon expérience du fleuve ? Comment exprimer la lente beauté des paysages, la voie majeure des oiseaux migrateurs, la pêche, et

le grave plaisir que l'on prend à rêver sur les promontoires ? Et surtout, oui surtout, comment rendre cette recherche d'une autre saveur de poésie, le goût d'une impossible sur-abondance, la soif de m'élargir et ce besoin de me coller à la mouvante réalité ?

Alors j'ai compris. Le désir que j'avais d'écrire sur le fleuve était le signe d'un appel. En fait, c'était le fleuve qui voulait me parler. Je n'ai pas eu à faire longue route pour aller le rejoindre où je devinais qu'il serait le plus ouvert. Dans une telle situation, il ne faut pas hésiter à retourner sur les lieux de son enfance.

À une demi-heure de voiture de Québec, sur l'autre rive, j'ai retrouvé l'étroite grève de tuf et de galets où j'ai passé les premiers étés de ma vie. Je me suis assis sur un

billot échoué par la dernière grande marée et j'ai dit au
fleuve : « Me voici, que veux-tu me dire ? »

Il y eut d'abord, m'a-t-il semblé, comme une musique,
un air lent, large, fait de sons épars où le grave frottait un
fond obscur et s'épanouissait soudain en bulles écumantes.
Comme si le vent était devenu un liquide où le bleu s'im-
mergeait dans le brun. J'ai entendu :

« À deux pas d'ici, derrière toi, juste en contre-haut de
l'usine de filtration, s'élève une grande maison entourée
d'arbres. L'étage donne à voir le fleuve, le chantier maritime
à l'ouest, et vers le nord, Beauport, la chute Montmorency
et la si belle pointe occidentale de l'île d'Orléans. Tu es né
dans cette maison. Quand ton cerveau a reçu ses premières
images, ses premiers bruits, j'étais là. Je suis la source et le
lieu de tes souvenirs premiers. Depuis le début, je suis en toi
et en toi je coulerai jusqu'à la fin. Jamais tu ne pourras te
démettre de moi. Je baigne et j'irrigue les mots que tu as appris, dont tu as besoin pour penser et pour dire ce qui arrive
en toi. Pas un jour de ton existence où tu ne m'as vu passer

de près ou de loin. Le paysage, c'est moi. Le voyage, c'est moi. Le passage, c'est moi. Rapproche-toi encore plus de moi si tu veux vraiment exprimer la substance de ta vie, si tu veux libérer ton esprit des images qui cherchent à naître et par lesquelles tu veux transmettre ton être aux autres.

Même si je suis un des plus vastes fleuves de cette planète, je suis tout entier présent en ce lieu où tu te trouves. Ici même je suis la source et le golfe, estuaire et rapides, canaux et ouverture de l'océan Atlantique. Tous les lacs, tous les ruisseaux les plus fins, les rus à peine formés qui murmurent dans les herbes, les rivières aux grandes eaux nettes, les lentes et brunes au cours onduleux, toutes les grèves avec leurs criques et leurs baies, toutes les forêts du littoral, les prés salés, les battures, toutes les îles, tous les rochers blanchis de fientes, toutes les falaises et les plages de sable gris, tout cela est moi et je suis ici. Les eaux entières du pays coulent devant toi. Je transporte la beauté, la richesse et les sens innombrables de toutes les eaux. »

Le fleuve m'a dit : « Laisse filer ton regard de pli en pli sur la ligne des courtes vagues. Laisse couler tes souvenirs et ta pensée. Traversons-nous l'un et l'autre. Et puis écoute-moi bien. Je vais te démontrer que plusieurs des mots qui forment ta langue personnelle viennent de moi. Si je te dis, par exemple, le mot *origine,* que vois-tu ? »

ORIGINE

J e vois une route qui ondule le long de la rive nord de l'île, et sur cette route, une Renault Cinq bleue filant vers l'est. À la pointe Argentenay, la petite voiture ralentit puis s'engage sur un chemin de gravier, elle traverse le verger abandonné, tourne dans l'érablière toute fraîche d'ombre où les fougères, les trilles ondulés, le tapis des jeunes pousses, les capuchons de mousse et de lichen sur les pierres, les troncs affaissés au cœur de poudre jaune, où toute la vie première des plantes monte en odeurs vertes. Puis, avec précaution, la voiture s'incline dans la côte raide qui descend vers le fleuve. Elle longe le bois d'aulnes, l'étang aux eaux fermées par les pois d'eau et s'immobilise derrière le chalet de bois rouge.

Je vois sortir de la Renault un homme qui me ressemble. Il inspire longuement, jette un coup d'œil au nichoir des hirondelles fixé au poteau électrique, ouvre les bras pour saluer en direction du nord-est, puis se hâte d'aller ouvrir la portière à une femme aux cheveux brun pâle qui tient contre elle un tout jeune bébé qu'on a enveloppé, malgré le temps chaud, dans du coton blanc. C'est un nouveau-né ; la femme vient, une heure plus tôt, de quitter la maternité.

Puis l'homme entre dans la maisonnette, écarte les rideaux, remonte la toile opaque qui masquait la grande fenêtre. Une immense lumière arrive dans la pièce et, comme toujours, le paysage le saisit : la grande batture de l'anse aux Rigolets, le foin de mer et la folle avoine qui ondulent au plus léger souffle de vent et, sur l'autre rive, en face, au-delà du chenal du nord, les prés qui montent vers les Laurentides, la forêt qui habille les montagnes rondes et le cap Tourmente, la naissance de l'estuaire, le fleuve qui s'évase en mêlant l'eau douce et l'eau saumâtre.

Maintenant je vois que l'homme transporte des cartons, des sacs, des valises de la voiture au chalet. Ce travail accompli, il sort, par la porte de derrière, sur la terrasse de planches dont les piliers parfois, aux grandes marées, baignent dans l'eau.

Un silence tourne mollement autour de l'air devenu calme avec la fin de l'après-midi. Ce n'est pas du tout un silence qui pèse. C'est un silence frotté de rumeurs et de passages. Le temps est écho, le fleuve a du mirage, comme on dit dans l'île, il va sans doute pleuvoir demain. Au fond du silence, il distingue tout à coup une sorte de plainte grave, un bêlement tremblé qui vient du ciel. Vitement il entre dans la maison et dit à la femme :

— Viens écouter les bécassines !

La femme et l'homme sont l'un près de l'autre sur la terrasse. Elle dit :

— Il y a quelque chose d'un peu triste, et même de lugubre, dans ce cri, tu ne trouves pas ?

Il a mis, comme toujours, un moment avant de répondre :

— Non, pour moi, c'est une vraie musique. Elle annonce la grande cérémonie amoureuse des bécassines. On ne voit rien, mais elles sont là. Les femelles sont tapies dans les hautes herbes, juste là devant nous, et même parfois j'en vois une perchée sur un piquet de clôture. Écoute leur appel, ce sifflement intermittent qui semble monter de leur abri. Les mâles, eux, sont dans les hauteurs, fondus dans la vapeur humide. Quand ils se déplacent à grande vitesse et surtout quand ils amorcent un piqué vers la batture, ils permettent à l'air de faire vibrer d'une manière étrange certaines plumes de leur queue et produisent ce chevrotement en forme de trémolo.

— Je sais que tu aimes entendre les bécassines.

— Oui beaucoup, depuis que je les connais. Elles sont, comment dire ?, elles sont l'épanouissement aérien du mois de juin. Elles expriment et elles résument les deux pôles de la vie, le sombre et l'altier, le chant sur fond grave, musique et cris, appel et réponse. J'aime également les bécasses, elles si posées, si secrètes, tout occupées durant le jour à leur alimentation, plongeant et replongeant leur long bec sensible dans le sol meuble des sous-bois, pour saisir les vers profonds. Elles sont plus grosses, plus trapues que les bécassines, mais le soir, à la brunante, elles s'élèvent elles aussi, elles gagnent les hauteurs où elles nasillent, où surtout elles déroulent leur émouvant chant de croule quand une vrille

véloce les ramène à leur cachette. Ce n'est pas ici, dans la batture, qu'on peut les entendre, mais là-bas, dans le bois de l'ouest, ce bois inextricable, rempli de toutes espèces de merveilles invisibles. La bécasse, comme sa cousine, la bécassine, exprime le bonheur de l'existence au ras de la terre et la soudaine élévation, l'arrachement à toute pesanteur.

— Moi, dit la femme, les deux visages de la vie, je les perçois dans ce paysage qui nous offre les deux horizons : l'horizon de la montagne et celui du fleuve. L'horizon qui monte devant nous, qui nous découvre, au-delà des cimes, des forêts sans fin où le soleil va sombrer. Et vers l'est, l'horizon clair de l'estuaire, l'horizon qui bascule au large, entre les îles, l'horizon qui va descendre et glisser vers la naissance de la mer.

— Oui, tu as raison. J'en ai passé des heures, moi aussi, à fixer cet horizon où les bateaux apparaissent, montent et se précisent. Je vois souvent la *Grande Hermine,* la *Petite Hermine* et l'*Émerillon,* les trois navires de Jacques Cartier, les premières nefs d'importance à remonter si loin le fleuve. Elles ont défilé juste ici, où nous sommes, le 8 septembre 1535. Je les vois et je vois aussi tous les petits et grands bateaux des Français, les longs et massifs navires des Anglais. Je vois les coulés, les victorieux, les armés, les échoués, les pleins de vivres, les pleins de richesses dont on nous dépossédait, les pleins d'affamés venus de la vieille Europe en terre nouvelle. Je vois tous les beaux bâtiments de hautes eaux, fierté de nos chantiers fluviaux. Et puis, je l'ai vue, un jour, la goélette de Raoul. Je l'ai tellement imaginée au cours de mon enfance, j'ai si souvent entendu raconter cette histoire, qu'il fallait bien que je l'aperçoive un jour ou l'autre.

— Raoul, le père de ta mère ?

— Mon grand-père, oui, que je n'ai pas connu. Il vivait aux portes de la Gaspésie, aux Méchins plus précisément, où il a pratiqué tous les métiers : maître de chantier, boucher, cuisinier, menuisier. Dès que le fleuve était libre de glaces, il pilotait pour un armateur de Lévis une goélette entre Matane et Québec. Un jour, l'armateur lui a confié la route Québec-Montréal. Il a bien fallu déménager, faire monter dans la goélette toute la famille, sa femme, ses cinq filles et sa belle-sœur. Une dure tempête les a surpris au voisinage de Kamouraska, les forçant à mouiller dans une anse. Ma mère avait sept ans et elle a gardé de ces journées, pour le reste de sa vie, la peur des voyages et la crainte de l'eau. Le calme revenu, Raoul a poursuivi sa route vers l'amont, jusqu'au quai Gilmour, à Lauzon. Sur le quai se trouvait un enfant de douze ans fasciné par les bateaux. Il a offert ses services pour le déchargement des valises et des meubles. Il a même aidé les petites filles à prendre pied sur le quai de bois. Cette scène-là est restée très claire dans sa mémoire jusqu'à la fin de ses jours. Je le sais parce que ce garçon, il est devenu mon père.

— En somme, ce que tu vois au large du fleuve, c'est ta propre naissance.

— C'est la profondeur de ma vie, oui, les souvenirs d'avant les souvenirs, les souvenirs qui forment l'arrière-fond de notre mémoire, qui lui donnent une perspective qui la dépasse. Oh ! j'entends la petite qui pleure.

La jeune femme est rentrée. Seul sur la galerie, face au fleuve, l'homme fouille le ciel, aiguise son regard. Et soudain il voit une bécassine. C'est une flèche rousse d'une vélocité impensable qui fond des hauteurs, avec de brusques changements de direction, le long dard du bec pointé vers le sol.

Un long moment de contemplation tranquille. Puis.

Dans la grande pièce du chalet, celle qui est la mieux éclairée, la nouvelle mère est assise sur le canapé et donne le sein. On entend le fin couinement des déglutitions gourmandes. L'homme s'approche alors pour enfouir son nez dans le cou de l'enfant. Un bouquet de fines odeurs végétales s'épanouit. Il y a de l'érable bouilli, de l'essence de vanille dans du miel d'orange, de l'écorce de bois-sent-bon, de l'eau de violette, de l'esprit de carottes mêlé à de l'avoine fraîche : émanations subtiles d'un corps neuf.

C'est un moment imprimé à jamais dans une mémoire humaine. Une douceur a passé sur un endroit précis du monde, un jour de juin, au quinzième lustre du XXe siècle. Dans ce moment se conjuguent un fleuve, des oiseaux, des plantes riveraines, de longs arbres au feuillage tranquille, une femme avec une enfant, qui dit à un homme : « Je suis bien. »

CREUSER

J e suis dans mon petit chalet du bout de l'île. C'est une nuit suffocante de juillet, traversée d'éclairs de chaleur. Je viens d'éteindre et je vais m'abandonner au sommeil. Tout à coup je le vois. C'est bien lui, c'est mon père, Louis, fils de Castor le creuseur, petit-fils de Louis, cordonnier à Port-Joli. Il s'en vient à l'île d'Orléans. Viendra-t-il me rendre visite ? Non. Il est beaucoup trop jeune. Il n'a pas soixante-dix ans. Il a quinze ans.

Il s'en vient. Il marche sur le pont de l'île, un pont tout neuf, reluisant de fraîche peinture verte. Nous sommes donc en 1935, année où l'île a été reliée à la côte de Beaupré par un pont suspendu de très gracieuse forme, légère, presque aérienne.

Mon père, je ne suis pas étonné de le voir apparaître. Nous parlions de lui tout à l'heure, Antoine et moi, dans la pièce principale du chalet. Mais reprenons l'histoire à son début.

Il y a quelques années, j'ai loué pour tout un été de solitude, au bord du fleuve, une cabane dont le principal confort était la tranquillité qui l'enveloppait, une tranquillité qui donnait du relief au passage du vent et au chant des oiseaux.

Un après-midi de canicule, on frappe à la porte. Je me retourne sur ma chaise et, à travers la moustiquaire, j'aperçois un homme en nage, ses cheveux longs noués derrière la nuque, courbé sous un sac à dos énorme. Malgré son teint cuit par le soleil, je reconnais tout de suite Antoine, un ami de collège qui est devenu, autour de la trentaine, après quelques années d'enseignement, photographe itinérant et qui a continué de m'envoyer des images de tous les coins de la planète. En vingt ans, nous ne nous sommes revus qu'à deux ou trois reprises et toujours dans des lieux insolites, à l'image même de l'amitié qui nous lie. J'ai toujours aimé chez cet homme brusque, un peu ours, son refus du joug, son intranquillité, son attirance pour les espaces nus, son superbe mépris des belles vertus qui servent de paravent à notre besoin d'amasser des richesses.

Antoine se décharge de son poids, s'éponge le visage et m'annonce qu'il vient solliciter ma collaboration pour un livre illustré, sachant que je m'intéresse aux oiseaux. Il est revenu la semaine dernière d'Amérique centrale où l'ont attiré les nombreuses espèces de colibris qui enchantent ces climats.

— Ah! Les oiseaux! me lance-t-il. J'ai lu dans mon livre de chevet : il faut croire que le monde n'est pas encore très vieux puisque les hommes par eux-mêmes ne peuvent pas encore voler.

Je referme mes cahiers et fais une croix sur mes projets de travail.

— J'espère que je ne te dérange pas trop…

Il s'approche de ma table et me demande si je suis en train d'écrire. Devant ma réponse affirmative, il me souffle sur un ton faussement inspiré :

— Si on savait à quel point, nous les artistes, nous travaillons. On a toujours tendance à croire le travail facile à celui qui possède un peu de talent. Il te faut t'efforcer, artiste, si tu veux faire quelque chose de grand.

Je ne trouverais à répondre que des banalités du genre : tu n'as jamais si bien dit. Alors je me tais. Je l'invite à se rafraîchir, après quoi je me laisse porter par ses paroles jusqu'aux montagnes touffues du Costa Rica.

Au souper, pendant lequel il refuse presque toute nourriture à cause d'ennuis gastriques hérités d'un microbe tropical et qui le torturent par la soif, Antoine me demande l'hospitalité pour la nuit. La cabane est modeste, mais elle offre, en plus d'une chambrette, le confort d'un canapé. C'est là que je l'invite à s'installer.

— Tu te couches déjà ! s'exclame-t-il avec l'air effaré d'un enfant qu'on abandonne au milieu des bois. Mais… il est seulement dix heures !

— Je me lève à l'aube, tu sais. Je commence à écrire très tôt. C'est mon régime d'été.

— Ah bon.

Je me mets en nuit et m'enferme dans la chambre. La chaleur est accablante, mais je me réjouis de pouvoir m'isoler et de réfléchir à mon travail du lendemain. Le sommeil finalement achève de m'engourdir. Ce bien-être ne dure pas. Dans la pièce d'à côté, des bruissements, des frouements succèdent à des ronchonnements et à de bruyants déplacements d'objets. Je me lève et trouve Antoine au milieu de tous les effets personnels qu'il a tirés de son havresac et étalés autour de lui.

— Tu vois. Toutes mes possessions sont là. Je n'ai aucun secret.

Il porte sur moi un regard troublé et me dit d'une voix éteinte :

— Mais il me manque le principal. Mon Lichtenberg ! J'ai dû l'oublier au motel, ce matin, en partant.

Lichtenberg ? Je pense un moment à un revolver, à un appareil photo, puis à un médicament.

— Si tu veux parler d'un somnifère, j'ai ce qu'il faut.

— Ne me dis pas que tu ignores le nom de Lichtenberg, le plus grand auteur d'aphorismes ! Un philosophe allemand du XVIIIe siècle. Un esprit clairvoyant doublé d'un humoriste. Il n'a laissé qu'un ouvrage et j'ai trouvé ce petit livre, en traduction anglaise, chez un bouquiniste de New York, l'année dernière. Ce livre-là est devenu mon porte-bonheur, mon vade-mecum. Je le sens toujours là dans mon sac, je ne pourrais plus m'en séparer. Le soir, en me couchant, où que je me trouve, sous la tente ou dans une chambre miteuse, je prends le petit livre, je me réchauffe les mains à sa reliure de cuir blanc, j'en lis une page, une, pas plus, et le repose sur la table où il continue de briller dans la nuit comme une veilleuse.

— La lampe de la pensée, dis-je.

— Oui, la lampe de la pensée qui ne s'éteint jamais.

Je comprends alors toute la déception de mon hôte. Je lui propose de nouveau un narcotique, un autre livre, un peu de musique. Antoine demeure agité. Me vient alors une idée :

— Écoute, mon cher. Il n'y a pas que ton Lichtenberg qui soit un génie de l'aphorisme. J'ai ici, dans mes affaires, un carnet où je note depuis longtemps des pensées que j'ai recueillies sur ma route.

— Tu aimes les aphorismes ?

— J'ai un faible pour tout ce qui s'appelle maximes, haïkus, inscriptions lapidaires, toutes les captations incisives qui allument, tu le sais bien, l'esprit comme de l'amadou.

— Peut-être est-ce là la vieille tentation du scribe, celle de trouver la formule, voire le mot, qui résume toute connaissance et toute sagesse.

— Dans un sens oui, mais ce goût-là, j'en suis sûr, me vient de mon père.

— Ton père écrivait ?

— Oh non. Mon père a dû quitter l'école à l'âge de quinze ans, mais ses paroles révélaient tout un savoir lié de près ou de loin à son métier de foreur, un savoir puisé dans ses observations, dans ses expériences et dans la lecture intégrale des journaux du samedi. Je le voyais souvent, pendant ses longues séances de lecture, le dimanche, griffonner sur les coins blancs des pages, sur son paquet de cigarettes ou sur tout ce qui lui tombait sous la main, je le voyais griffonner

des bouts de phrase qu'il pliait dans son porte-monnaie ou qu'il enfouissait au fond du premier tiroir de sa commode. Qu'est-ce que je n'aurais pas donné pour avoir, au moins une fois, la permission d'ouvrir ce réservoir aux secrets ! Cela ne t'ennuie pas que je te parle de mon père ?

— Un homme sensible ne parle bien que de son père.

— C'est de Lichtenberg ?

— Non. Antoine dixit. Continue…

— Des années plus tard, autour de la cinquantaine, contraint par un accident de santé à abandonner son métier de creuseur de puits artésiens, mon père a transformé le modeste hangar au fond de la cour en un atelier de menuiserie. Il y passait tout son temps à sculpter des maquettes de voiliers, des schooners surtout, qu'il avait admirés sur le grand fleuve de son enfance. Il reconstituait de mémoire appareillages et gréements. C'est là, dans son monde d'outils et de copeaux, qu'il se sentait à l'aise pour parler — et il parlait, je t'assure — pendant qu'il polissait une coque, qu'il fixait une vergue à un mât. C'est là aussi qu'il épinglait aux murs, sur des bouts de papier ou de carton, sur des planchettes parfois, des phrases, des dictons, des proverbes qui n'avaient pas de lien précis avec son travail.

— Je vois où tu veux en venir. Tu commences à m'intéresser.

— Évidemment j'ai noté quelques-unes de ces phrases. Je peux essayer d'en retrouver certaines, susceptibles de t'apporter l'apaisement que tu recherches.

Antoine boit un grand verre d'eau, il s'étend sur le canapé, croise les mains derrière la nuque et attend.

— En voici une première : « Le temps, en nous mûrissant, nous clarifie. » Pas de nom d'auteur. Mais cette phrase n'est pas sans me rappeler un moment dans la journée d'un creuseur, quand, le puits terminé, il pompe, pompe l'eau d'abord brouillée de boue et de sable et qui devient peu à peu claire comme du cristal. Je pense qu'il convient de lire cette autre pensée : « La vérité est au fond du puits. »

— C'est très beau. Plein de mystère et probablement de sagesse, me souffle Antoine, le regard plongé dans l'obscurité des fenêtres.

— Mon père aimait beaucoup les proverbes orientaux. Par exemple : « Passe trois jours sans étudier et tes paroles n'auront plus de saveur. »

— Juste. Très juste.

— Une autre fois, j'ai lu sur un de ses morceaux de carton : « Si tu prends le chemin qui se nomme demain, tu arriveras au pays qui s'appelle jamais. »

— Ça ressemble à un proverbe arabe.

— Arabe, oui. Tiens, voici une phrase de Goethe, un auteur que mon père ne connaissait sûrement pas. Il avait quand même recopié : « Chaque chose nouvelle bien regardée ouvre en nous un nouvel organe. »

— Hum… laisse-moi savourer celle-là. Chaque chose nouvelle… Elle est faite pour moi, cette maxime.

— Je te l'offre.

— Merci, dit Antoine en riant. Et puis… ?

— La dernière fois où j'ai rendu visite à mon père dans cet atelier surchauffé (peinture et vernis ne toléraient aucun courant d'air), j'ai remarqué qu'il n'épinglait même plus ses citations. Il traçait au crayon gras sur les murs en contreplaqué, près de son établi, des phrases dont certaines étaient peut-être même de son cru, comme celle-ci : « Chaque puits artésien nous creuse un peu plus. » Il est vrai que la plupart de ses citations parlaient du sens de la vie et de la si grande difficulté d'accorder son âme avec celle des autres, quand ce n'est pas avec son propre esprit.

— L'as-tu déjà interrogé sur son intérêt pour les maximes ?

— Non. Je ne sais par quelle pudeur. Respect du tiroir aux secrets sans doute.

— Et maintenant ?

— Quelques mois après sa mort — il avait soixante-dix ans — je suis retourné dans cet atelier redevenu cabanon de rangement. J'avais l'intention, tu l'imagines bien, de décrypter les écritures murales, mais le nouveau propriétaire avait tout repeint. Ne subsistaient sur le cadre en bois de l'unique fenêtre, au-dessus de l'établi, que ces quelques mots à peine lisibles : NUIT S'EN VA VERS SA LUMIÈRE. Ça ne te rappelle rien, Antoine ?

— Nuit s'en va vers sa lumière ? Non.

— Cette formule m'avait frappé, je l'avais notée dans mon calepin, mais il m'a fallu attendre plusieurs jours avant qu'un obscur travail de la mémoire me conduise au poème de Victor Hugo, qui contient ce vers pourtant inoubliable : « Chaque homme dans sa nuit s'en va vers sa lumière. »

— C'est drôle, ça me donne comme une secousse dans la tête d'entendre cette phrase.

— C'est profond, oui, comme un puits artésien bien fait. L'eau qui en jaillit ne perd jamais son sens.

Il me semble qu'Antoine commence à se détendre. Il a cessé de se gratter l'occiput et, de plus, il garde loin de sa main le paquet de cigarettes où il a abondamment puisé depuis son arrivée.

La nuit est avancée. Le besoin de sommeil m'a quitté. Je continue à glaner dans le carnet les plus belles perles avec l'espoir que mon visiteur réussisse enfin à trouver le repos. À bout de ressources, je lui demande :

— Si tu es vraiment pénétré d'admiration pour le livre de Lichtenberg, s'il est vrai que cet ouvrage ne te quitte pas depuis un an, si chaque soir, comme tu dis, tu en goûtes une page, il serait surprenant que tu n'en connaisses pas au moins un extrait de mémoire.

— Euh… de mémoire ? Je préfère la relecture au souvenir. Si je savais le livre par cœur, je n'aurais plus besoin de ma petite lampe de vélin pâle à mon chevet.

— Demain matin, on téléphone au motel et on récupère le livre. Mais pour une fois, tu peux essayer d'en partager de mémoire un extrait avec moi, non ?

Antoine me dévisage et se recueille.

— Il y a chez Lichtenberg une page remarquable dont je ne me rappelle pas tous les mots. Il dit que s'il existait au monde une personne désireuse de se faire tatouer sur la main ou sur le bras une sentence morale, il lui conseillerait une phrase découverte jadis dans un journal anglais : THE WHOLE MAN MUST MOVE TOGETHER. Les manquements à cette règle sont innombrables et les dégâts qui en résultent sont irrémédiables. Comme parties constituant l'homme je compte la tête, le cœur, la bouche et les mains. Il faut un art magistral pour mener ces parties à travers la tempête sans qu'elles se séparent, jusqu'à la fin, où tout mouvement cesse. Qu'en dis-tu ?

— Oui, en effet, tout est là. Pour que la tête puisse dormir, il faut sans doute commencer par endormir la bouche.

— Tu as raison, vieux, dit Antoine en souriant. Sais-tu que ce soir, tu es presque un père pour moi ?

Il s'absorbe un moment dans sa réflexion, il bâille, puis, d'un seul mouvement, se tourne vers le dossier du canapé. Quant à moi, revenu dans mon lit, je me mets dans l'attente du sommeil. Et c'est à ce moment-là que je vois venir mon père.

C'est un jeune homme beau de visage et d'allure soignée. Il porte avec fierté les vêtements cousus par sa mère pendant des nuits de veille : veste de drap gris, « breeches » retenus aux genoux par des demi-bas marine. Chaussures bien cirées, comme toujours. Il tient, retenue à son épaule par une courroie, une longue poche de toile qui contient toutes ses affaires. Au beau milieu du pont de l'île, il s'arrête, dépose son sac.

Ses yeux s'agrandissent. Jamais il n'a vu paysage plus saisissant. Tout ce que la terre connue peut offrir d'amples splendeurs est là, autour de lui. Il n'a qu'à tourner le corps et la tête en un cercle complet pour s'emplir de tant de beauté. La chute Montmorency gronde derrière lui et s'auréole d'un panache de vapeur où, les jours de soleil, montent sans fin des arcs-en-ciel. À sa droite, vers l'ouest, l'anse de Beauport étend ses eaux étincelantes jusqu'au promontoire de Québec où se profilent, sur fond d'horizon, les architectures de pierres grises et les vingt clochers aux flèches incomparables. Devant lui, la plus émouvante de toutes les îles, large, bombée comme le dos d'un animal au repos, gigantesque tableau où s'ordonnent toutes les nuances de la couleur verte. Il tourne la tête vers la gauche ; c'est le chenal du nord qui sinue, lent, peu profond, entre la côte de Beaupré et les grèves de l'île, battures foisonnantes, paradis de mystérieux oiseaux qui parlent et ricanent parmi le foin de mer et le riz sauvage.

C'est ici, c'est sur ces grèves herbeuses que sont nées les légendes qui ont ému son enfance : la légende des Feux follets, celle des fameux Sorciers de l'île, leurs vagabondages dans les ténèbres, leur train d'enfer où des diables borgnes agitent des feux dans des danses effrayantes.

Mais la légende que le jeune homme préfère entre toutes est celle de la Dame blanche. Au lendemain de la bataille de Montmorency, en juillet 1759, une jeune fille de Beauport était venue près du fleuve rejoindre son fiancé, après des semaines d'absence. Il n'était pas parmi les soldats morts ; elle le chercha durant des jours jusqu'à ce qu'elle retrouve son corps au bord de la rivière, la tête si près du courant où il s'était traîné pour étancher sa soif. De la jeune fille on perdit la trace. S'était-elle lancée dans l'abîme que les millénaires ont creusé au pied de la haute cascade ? Aux dires des insulaires, on la voit parfois le soir, sous la forme d'une belle femme vêtue d'une longue robe blanche, errer sur les grèves de l'île d'Orléans, ces mêmes grèves où mène aujourd'hui la traversée du pont.

Arrivé dans l'île, le jeune voyageur accélère le pas sur la route construite en jetée à travers la grande batture d'herbes lâches. Un camion s'arrête. Il monte.

— Où tu vas, l'étrange, avec ton grand sac ?

— Vous êtes de l'île, monsieur ? Vous devez savoir où se trouve le creuseur de puits.

— Le capitaine creuseux ? Manquable. C'est notre premier vrai puisatier icitte dans l'île. C'est pas loin. Entre Saint-Pierre et Sainte-Pétronille. Je vas te débarquer juste à ras.

Bien avant d'arriver, Louis aperçoit, près d'une maison de ferme, l'étroit derrick peint en rouge ; il le voit même frémir à chaque coup de foret dans le sol, qui fait trembler les câbles d'acier et toute la structure de bois et de fer.

Le samaritain dépose au bord de la route le jeune voyageur qui s'engage sur l'allée de gravier, s'approche de la foreuse et voit Castor, son père, assis sur un madrier, à côté de la petite forge qui fume faiblement. Casquette de tweed penchée sur l'oreille. Pipe au bec. Salopette tachée de boue.

— Tiens ! Salut, mon garçon.

— Salut, p'pa.

— T'es parti de Lauzon de bonne heure.

— J'ai fait le trajet à pied de la traverse de Lévis jusqu'à l'île. Hier, c'était ma dernière journée à l'école.

— Ta maman, elle t'a donné quelque chose pour son Castor ?

— Dans mon sac, oui. Des carrés aux fraises.

— Assis-toi une minute.

— Vous m'avez l'air bien songeur à matin.

— Peut-être bien.

— Le puits avance pas à votre goût ?

— C'est pas ça. Aujourd'hui, mon gars, ça vient de couper de par le milieu.

— Qu'est-ce que vous voulez dire ?

— J'entre, comme qui dirait, dans l'heure du loup. Depuis que je me suis levé à matin, j'ai cinquante ans.

Pour un moment, le piochement de la foreuse emplit tout, temps et espace. Puis le jeune homme se remet à parler :

— Bonne fête, p'pa. Déjà cinquante ans ? On dirait que vous entrez dans le meilleur de votre force.

— Oh ! ça, je suis encore gabarot, oui. Mais à cinquante ans, c'est immanquable pour tout le monde, on ne peut pas faire autrement que de voir notre vie en deux moitiés : la part qui est en allée et la part qui nous reste, qui s'en vient.

— Vous avez creusé toute votre vie. Vous pensez pas arrêter ?

— Si j'ai bâti cette foreuse-là de mes mains, bien certain que c'est pas pour baisser si vite le derrick. Dans l'île, on a de l'ouvrage pour quelques étés. Pas un seul puits artésien de Sainte-Pétronille jusqu'à l'Argentenay. Pas un seul. J'ai besoin de toi à c'te heure.

— Si je vous comprends bien, me voilà devenu creuseur de puits.

— C'est un métier ardu, mon garçon, qui demande du cœur au ventre, de la capacité dans les bras, de la jugeote sous le bonnet, mais tu vas voir qu'il se fait pas de profession plus utile dans le monde. Ça a l'air de rien ces trous-là qu'on creuse, mais oublie pas que, petit coup de foret après petit coup de foret, on va rejoindre les belles veines d'eau pure qui des fois sont bien creuses en dessous de la terre.

— Mais ici, sur l'île, au beau milieu du fleuve, on devrait pas avoir trop de misère à trouver de l'eau.

— Nous autres, les foreurs, le fleuve ne nous aide pas beaucoup. Rien de plus difficile que de creuser dans une île. On dirait que ces îles-là sont montées bien après que les rivières du fond se sont formées. Je dis : des rivières. Mais je serais pas surpris qu'en dessous de nous autres, bien profonds, on trouve des sortes de lacs, des réservoirs de belle eau claire.

— Je serais pas surpris moi non plus.

— Oublie jamais, mon Louis, que la bonne eau qui va monter dans nos trous de six pouces de diamètre, c'est pour la santé des gens et des animaux. Nous autres, les creuseurs, on apporte ce qu'il y a de meilleur dans la vie. Et puis, comme disait Arsène Beaumont, de Montmagny, on est des docteurs.

— Docteurs ? Voyons, p'pa.

— Quand j'ai commencé à forer, Arsène me disait : il y a toutes sortes de docteurs, Castor. Des docteurs de maladies et des docteurs de santé. Nous autres, les puisatiers, on est, comme qui dirait, des spécialistes, des docteurs en boisson naturelle. On soigne la soif.

— Bon. J'aurais dû dire ça à mon professeur, hier : avec une bonne huitième année, me voilà docteur.

— Crains rien, mon garçon. Tu vas apprendre des choses que bien peu de personnes savent. D'abord je vas t'apprendre à tenir la branche de coudrier.

— C'est un de mes rêves de devenir sourcier.

— Mais avec de l'expérience, tu vas en venir à connaître ton pays comme le rebord de ton chapeau. Rien qu'à voir un terrain, une pente, un coteau, rien qu'à voir sur quel genre de sol tu marches, rien qu'à voir apparaître icitte et là, au flanc d'un cap, du roc, du grès, du tuf, du schiste, tu vas savoir où l'eau voyage dans le ventre de la terre.

— Justement. Je me suis bien des fois demandé pourquoi vous décidiez d'installer la foreuse ici, par exemple, au

ras de la maison, et pas là-bas, dans le champ, ou même derrière la grange, à l'abri du vent.

— C'est une des connaissances que tu vas apprendre à
l'université du grand air. Bon. Assez jasé. Pour le moment,
enfile ta salopette, on va remonter la *drill*. Les bittes s'usent
vite à frapper le roc. On va les mettre au feu.

— C'est drôle de penser que, pour faire venir de l'eau,
il faut du feu.

— Ouais. Il faut du feu aussi en dedans de nous autres. Allons, mon Louis. Mets-toi de l'huile dans les poignets. Je ranime la forge.

— Savez-vous, p'pa, j'ai eu le temps de m'ouvrir les yeux en venant vous rejoindre. Je trouve que l'île où on se trouve, elle est belle sans bon sens.

— Je te promets pour dimanche une de ces tournées. J'ai rencontré, hier soir, à l'hôtel Pinotte (c'est là où on loge), le maquignon Lemelin. Il m'a jeté un défi. Sa jument maligne. Elle est dans un clos à Saint-Laurent. Si je réussis à la brider, il me la donne. Tu connais Castor, hein ? Dimanche matin, après la messe, on va aller lui passer le mors, on va l'atteler et allons-y, on fait le tour de l'île ensemble. En passant par la pointe Argentenay, on se rincera l'œil à regarder le fleuve pondre son chapelet d'îles du côté de Montmagny.

Juste avant de couler dans le sommeil, pendant que de l'autre côté du mur Antoine ronfle déjà comme un moteur de goélette, je vois mon père, mon petit père maintenant mort, passer à folle allure dans le boguey de Castor. Je le vois porter son regard agrandi vers les battures du cap Tourmente. Il ne sait pas que soixante ans plus tard, au milieu d'une nuit de forge, je serai là, dans le même espace, à le regarder filer vers son avenir d'homme, son avenir où la soif prendrait tant de place. Toutes les soifs. Celles en tout cas que les longs puits qui nous creusent n'arrivent pas toujours à apaiser.

PRÉSENCE

C'est un clair après-midi du début de l'été et je me vois sur la galerie de mon petit chalet. Entre deux érables — le plus jeune traverse la plate-forme de bois en son centre — j'ai tendu un hamac où en ce moment je me laisse bercer par le faible vent d'ouest. Je pense. Je pense comme peut penser un promeneur des rives, je pense à quelles aventures intérieures peut mener la fréquentation du fleuve. Et j'en viens à réfléchir à la conscience que nous avons du passage de notre vie. Ce passage, est-il simple écoulement d'une durée qui viendrait d'une source pour aller s'évanouir dans la mer ? N'est-il pas plutôt une érosion ? Est-ce que le temps ne nous émiette pas morceau par morceau, ne nous érode pas grain par grain ? Où trouver alors quelque répit, l'illusion même d'un moment de grâce ?

Toujours plongé dans ces réflexions, je tourne légèrement la tête à gauche, vers la grande batture. Me vient alors cette aventure : le temps soudain irradie, se contracte et m'infuse ce saisissement qui emplit à la fois le corps et l'esprit. Que se passe-t-il ?

C'est une présence. À une vingtaine de mètres, un oiseau est là. Il n'est pas perché. Il ne se déplace pas. Il ne chante pas. Il est là tout simplement, en suspens au milieu de l'air. En bougeant les ailes avec cette lenteur que l'on voit dans les ralentis au cinéma, il fait du surplace, il effectue ce que les connaisseurs appellent le « vol en Saint-Esprit ». Sur le moment je pense à une crécerelle, petit faucon habile à pratiquer cette méthode de chasse. Mais l'oiseau n'a ni la forme ni les couleurs de la crécerelle. Il est bleu et blanc, avec un peu de noir au bout des ailes. L'élément le plus remarquable de son anatomie est cette grosse tête ébouriffée portant un long bec noir acéré comme une dague. Oui, c'est bien un martin-pêcheur occupé à repérer une proie dans les multiples trous d'eau du marécage. Combien de temps restera-t-il là, quasi immobile, le bec pointé vers le sol, je ne puis le dire, le temps pour moi est devenu espace, un espace qui ne cesse de s'élargir. Finalement son corps devient flèche tendue à la verticale et ploc ! il tombe dans la marelle d'où il jaillit tout de suite, un menu poisson argenté en travers du bec. Il vient vers moi, me survole pendant une seconde, puis il sort de ma vue en dépassant le toit du chalet.

Avec précaution je m'extrais de mon hamac et sur la pointe des pieds je fais le tour de la maisonnette. Il est là, perché sur le fil électrique ; il n'est pas seul. Il est flanqué d'un autre oiseau en qui je reconnais la femelle : même profil, mêmes dimensions, mêmes couleurs, mais portant sur la

poitrine une bande orangée, si belle que pour un moment elle colore tout le paysage. Je n'aurai pas droit au spectacle de leurs amours ; ils m'ont aperçu. D'un vol nerveux le couple gagne le fond de l'anse où bientôt il disparaît derrière les rochers.

Il n'empêche que j'aurais aimé faire entrer dans mon œil l'agrément de leur rituel amoureux dont un ami m'a déjà fait la relation : ce chant de pariade pareil au miaulement de deux arbres que le vent frotte l'un contre l'autre, et surtout ce nourrissage symbolique où le mâle, après des plongeons spectaculaires précédés de longs vols en Saint-Esprit, rejoint la femelle sur le même perchoir. Les deux oiseaux alors s'approchent l'un de l'autre en se dandinant, s'éloignent, pivotent, se réunissent de nouveau, jusqu'à ce que la femelle ouvre le bec pour recevoir le présent cérémoniel.

De retour à mon hamac, je ferme les yeux pour me repasser le film des instants qui ont précédé. Je connais bien le Martin-pêcheur d'Amérique, mais jamais je ne l'avais vu de cette façon faire du surplace si près de moi. Une journée marquée par une telle expérience est une journée bénie.

Puis je revois tous les martins-pêcheurs de ma vie : ceux qui hantent les rives boisées des rivières et lorgnent les fosses obscures ; ceux qui attendent, perchés, la huppe au vent, sur une branche morte en saillie sur la surface de l'eau ; ceux qui viennent se poser sur le mât des voiliers ; ceux qui passent des heures, en attente, sur une roche lisse au centre de l'étang ; ceux qui soudain quittent la branche où ils étaient au secret, plongent, disparaissent sous l'eau, émergent parmi l'écume et regagnent leur perchoir pour avaler leur prise; ceux qui guident le bon pêcheur; et puis surtout les martins qui viennent me visiter chaque été depuis que je fréquente les parages de la batture.

D'abord ils se font entendre. Aucun cri chez les oiseaux ne ressemble au leur. C'est un crépitement roulé, un dévidement prolongé de sons rauques et perçants, émis le plus souvent en vol, sans doute pour exprimer une énergique prise de possession d'un territoire de pêche. Dès la première écoute, je l'ai tout de suite comparé au déroulement endiablé d'un gros moulinet, celui par exemple qui orne la canne d'un pêcheur de saumon.

Dès que je perçois son cri, je sais bien où se trouve mon « petit pêche-martin ». La plupart du temps il est posé sur un fil électrique d'où il surveille l'étang qui sépare le chalet de la falaise toute proche (lui qui s'égaie au bord des lacs peut s'accommoder d'un plan d'eau minuscule). Dans ma lunette d'approche, je peux alors le contempler à ma guise et détailler ses couleurs. Ce qui d'abord attire l'œil, c'est le bleu de son dos et de sa tête, un bleu horizon poudré d'ardoise, le bleu calme des ciels lointains. Ce bleu rend plus éclatant le collier blanc qui paraît hausser d'un cran la tête au-dessus du corps, une tête grossie par les plumes érigées en faisceau sur le sommet du crâne et par le long bec noir. Il a vraiment l'air un peu échevelé de celui qui s'est levé de mauvais poil. Ses pattes sont si menues et attachées si près de la naissance de la queue que l'oiseau semble n'avoir que peu d'appui sur le solide. Même posé, et toujours d'une immobilité de sphinx, il est comme au bord de l'essor, tendu à l'extrême. Voit-il quelque chose bouger sous le miroir d'en bas, l'oiseau est déjà en train de fondre, bec devant, dans l'eau — on ne l'a vu ni ouvrir les ailes ni amorcer son piqué. C'est le poète Paul Celan qui a le mieux rendu la fulgurance de cet instant : « Quand plonge le martin-pêcheur, la seconde vibre. »

Discerner une proie sous la surface de l'eau, par temps tranquille ou venteux, c'est facilement dit. Avez-vous essayé ? Comment percer le miroir et distinguer ce qui vit derrière ? Comment un œil peut-il contrer la réflexion de la lumière sur l'eau ? Il faudrait que cet œil, pour devenir moins sensible à la couleur bleue, contienne une sorte de filtre rouge, lequel filtre pourrait fort bien, n'est-ce pas, être formé par une certaine quantité de gouttelettes huileuses de couleur rouge dans les cellules oculaires. Eh bien, c'est exactement le don singulier dont la nature a pourvu le martin-pêcheur et qui en fait le spécialiste des menues prises en eau douce.

Pour le moment mon oiseau vient de terminer sa pêche en étang. Il émet un autre de ses longs grincements de crécelle et très vite il s'envole vers la lisière de l'est.

À l'époque de mon installation au bout de l'île, j'ai espéré, pendant une saison ou deux, découvrir un nid, mais j'ai vite appris que le martin-pêcheur exerce souvent à très longue distance de son gîte, lequel est une des merveilles les plus malaisées à trouver sur cette Terre !

C'est à ce moment-là que je me suis rappelé l'histoire merveilleuse par laquelle les Grecs anciens ont tenté d'expliquer la naissance de cet oiseau aux mœurs si secrètes.

Dans un temps immémorial, Alcyoné, fille du dieu des Vents Éole, épousa Céyx, fils de l'astre du matin. Leur amour était très grand, mais Céyx, un jour, malgré les exhortations de son épouse, s'embarque pour aller consulter les oracles. Le navire sombre dans la tempête. Prévenue par un songe, Alcyoné court vers le rivage d'où elle aperçoit, venant vers elle, porté par les flots, le corps de son bien-aimé. Elle va plonger. Aussitôt elle devient oiseau ; c'est ainsi qu'elle touche enfin le corps de Céyx. Émus par la profondeur de cet amour, les dieux accordent à Céyx la même métamorphose. Tous deux continueront de vivre sous la forme de ces oiseaux nommés alcyons, autrement appelés martins-pêcheurs.

Ce mot d'« alcyon » est chargé de sens. Il signifie proprement : celui qui est conçu sur la mer. Pourquoi cela ? Tout simplement parce que les Anciens, incapables de trouver un nid de martins, ont expliqué leur naissance par la légende. Ils croyaient que les dieux ordonnaient aux flots de calmir, deux semaines avant le solstice d'hiver, pour permettre aux alcyons de pondre directement sur la surface de la mer. Cette période de l'année était d'ailleurs appelée alcyon.

Ce mot, né de la légende, est encore vivant. En certaines régions de France, le martin-pêcheur est parfois nommé alcyon. Par ailleurs, le nom scientifique de notre Martin-pêcheur d'Amérique est *Ceryle alcyon*. Les quatre-vingt-dix espèces de ces oiseaux peuplant le globe se regroupent dans la famille des Alcédinidés.

Le martin n'est pas un oiseau rare. Un promeneur de nature ne peut pas ne pas l'avoir aperçu. Mais qui peut se vanter d'avoir vu une femelle sur ses œufs ? Et qui même a pu découvrir leur nid ? Bien sûr on sait depuis belle lurette que l'espèce niche à l'intérieur d'un terrier creusé dans la terre meuble ou le sable d'une falaise ou à même la paroi abrupte d'une rive. On sait également que le nid peut se trouver à des kilomètres d'un cours ou d'un plan d'eau. Mais qu'y a-t-il au fond de ce terrier et que s'y passe-t-il ?

Longtemps ces questions ont occupé mon esprit, jusqu'à ce que le Dr Laporte m'ouvre son… huis ! En réalité je n'ai pas eu à frapper à sa porte. J'ai rencontré le biologiste dans des circonstances qu'il est difficile d'oublier.

Il y a une bonne quinzaine d'années, vers la fin de l'été, je me promenais dans les prairies naturelles du cap Tourmente, paradis de la faune ailée, quand j'aperçus un homme surveillant, dans son télescope, la falaise qui coupe la montagne à vif et domine un immense territoire face au sud. Je l'abordai et lui fis part de ma curiosité. Fort aimable, il m'expliqua qu'il était chargé de la réintroduction du Faucon pélerin au Québec. « Voyez, la grande cage là-haut, accrochée à une roche en saillie, elle retient captifs des fauconneaux en instance de lâcher. » Depuis des jours il suivait le déroulement de la délicate opération de nourrissage, puisque les jeunes rapaces, venus d'élevages artificiels, se préparaient là à leur liberté.

Assis dans l'herbe à côté de lui, je l'interrogeai sur son travail de spécialiste des oiseaux. Et j'appris alors que l'homme avait commencé sa carrière par une longue étude sur la reproduction des martins-pêcheurs ! Il connaissait donc les secrets de leur nid ? Oui, il avait vécu, pendant deux ou trois saisons, pour ainsi dire sous terre, dans l'intimité des martins.

Il avait vu, au début de l'été, le mâle et la femelle forer à même la paroi d'un haut talus. Avec leur bec ils assouplissaient la terre, qu'ils rejetaient motte par motte vers l'extérieur à l'aide de leurs pattes destinées à cette fonction ; les doigts médian et postérieur sont soudés sur presque la moitié de leur longueur.

Il les avait vus disparaître peu à peu dans le tunnel. À l'aide d'instruments optiques qu'il avait lui-même mis au point, il avait suivi leur progression sous terre, qui s'adaptait aux obstacles, les contournait, reprenait le cap initial. Après deux mètres et cinq jours de forage horizontal, il les avait vus aménager la chambre de couvée, un espace circulaire voûté, grand comme quoi ?, disons : grand comme un chapeau colonial.

Il avait vu la femelle couver directement sur le sol nu ses sept œufs d'un blanc pur. Il avait été intrigué par l'apparition d'une autre chambre souterraine, plus exiguë celle-là, rendue accessible par le même tunnel. Il comprit, quelques jours plus tard, qu'elle servait de gîte nocturne au mâle.

Qu'est-ce qu'il n'a pas appris, au cours de ces trois étés, sur ses chers martins ! Il fut à même de montrer tout d'abord que ces oiseaux sont fidèles au même nid, qu'ils le perfectionnent d'une saison à l'autre en tapissant, par exemple, la chambre principale d'une natte argentée faite d'écailles, d'arêtes, de carapaces de crustacés, toutes séchées et parfaitement nettoyées.

Posté à proximité, le biologiste suivit toute la nidification. Mâle et femelle incubent les œufs ; chacun peut demeurer jusqu'à sept heures d'affilée dans la chambre. Quand vient le moment de la relève, l'oiseau qui revient de la pêche se poste dans les parages du terrier, émet un cri bref et attend que l'autre sorte pour le remplacer. Un nid habité se reconnaît au fait que les oiseaux laissent deux faibles traces en forme d'ornières à l'entrée ovale de leur tunnel : c'est à l'aide de leurs courtes pattes qu'ils avancent sous terre.

Arrive enfin le moment où les oisillons viennent eux-mêmes sur le seuil recevoir la nourriture que les parents leur apportent à tour de rôle. Après un mois de ce régime, ils sont prêts à quitter l'obscurité souterraine et à se lancer dans la lumière où ils apprendront à devenir eux aussi flèches bleues, guetteurs immobiles, présences tonitruantes des paysages habités par l'eau.

J'aime assez que le martin réunisse en lui les quatre éléments primordiaux. Né sous et sur la terre, il traverse l'air pour s'immerger. Le quatrième élément, c'est en nous qu'il prend naissance quand l'oiseau apparaît. L'émotion qu'il lève est une lueur qui brûle l'esprit : un instant le temps irradie et nous délivre d'une certaine pauvreté de la vie.

CHALOUPE

J e vois un garçon d'une dizaine d'années : toupet blond coupé carré, deux rosettes à l'occiput, culottes courtes, chandail à rayures, espadrilles noires à semelles blanches. En ce dimanche de juillet 1952, à Lauzon, tous les bruits du chantier maritime se sont tus. Des bourdons passent en vrombissant et les mouches collent aux moustiquaires. Il s'ennuie. Son père, qui avait pourtant promis d'emmener toute la famille en promenade dans la proche campagne, s'est endormi après le repas du midi.

Le garçon est une vraie fouine. À travers le désordre du hangar, il a découvert une vieille canne à pêche. Il cherche une ficelle, un hameçon : voilà l'attirail au complet, ou presque. Sous une planche, près du ruisseau, il tire quelques lombrics qu'il pose au fond d'une boîte de conserve. Puis, discrètement, sans avertir personne (toute la maisonnée est écrasée par la canicule), il se dirige vers le fleuve, parvient au bord de l'eau en descendant l'escalier de l'usine de filtration. Le vieux quai Gilmour, vestige de ces anciens quais de bois jadis si nombreux au bord du Saint-Laurent, dans les parages de Québec, n'est plus qu'un amas de poutres désarticulées retenant au centre de grosses pierres de granit. Les pêcheurs d'éperlans continuent pourtant de s'y assembler en automne. Mais, cet après-midi torride de juillet, qui aurait l'idée d'aller pêcher au fleuve ? Et pêcher quoi ? Quel poisson oserait bouger dans cette soupe tiède ?

Avec le courage du novice, le garçon s'engage sur le quai, contourne les pièges, enjambe les pièces de bois disloquées en évitant la pointe rouillée des tiges de fer, et finit par s'asseoir sur une poutre en saillie. La marée est haute.

Il amorce l'hameçon tant bien que mal, et le regarde s'enfoncer peu à peu dans l'eau brune. Il attend. Longtemps. Une heure peut-être. Le bout de la canne reste mort. Puis, la nuque et les bras brûlés par le soleil, le garçon se décide enfin à remonter sa ligne. Il tire. L'hameçon, à ce qu'il lui semble, est accroché à quelque pierre du fond. Il tire encore. Quelque chose vient pesamment, en résistant. On dirait qu'un poids mou remue au bout de la ficelle. Encore une fois, il tire, ça vient, ça monte. Qu'est-ce que cela peut bien être ? Un serpent ! C'est une longue chose verdâtre qui se débat, ondule, s'enroule. Le cœur de l'enfant se met à cogner. Il tremble. Il n'en revient pas. Il a déjà vu, l'automne précédent, sur le chemin de l'école, à la devanture de l'épicerie Dumas, de grandes cuves grouillantes d'anguilles. Oui, c'est une anguille ! Une grosse. Une anguille d'au moins trois pieds. Sur le quai, le poisson visqueux se tord, essaie de ramper. L'hameçon disparaît au fond de sa gorge, inutile de tenter de l'arracher.

Le jeune garçon ramasse ses affaires, place sa canne sur

son épaule et traîne derrière lui le poisson qui glisse sur le sol en se débattant. Chacun sait que l'anguille est le poisson apte à survivre le plus longtemps hors de l'eau. Le garçon remonte la falaise et arrive dans la rue qui conduit à sa maison. Les gens se retournent, les curieux s'arrêtent, d'autres enfants font cercle autour de l'étrange prise. Certains disent : « Une anguille en plein été ? » D'autres se contentent de faire remarquer qu'il faut être bon pêcheur pour réussir à sortir un poisson du fleuve en plein été. Les yeux illuminés par la fierté, le petit pêcheur entre chez lui et exhibe sa prise encore vivante.

Cet enfant de dix ans, c'est moi. J'ai découvert, à l'âge où les expériences laissent des empreintes impérissables, les délices de la pêche à la ligne. J'ai appris du même coup que la confiance, bien avant la patience, est le premier atout du pêcheur, et que le hasard est l'élément souverain de la découverte. J'ai appris également qu'on peut éprouver de fortes jouissances à faire jaillir des profondeurs opaques un animal mystérieux — et tous les poissons sont mystérieux tant qu'on ne les a pas attrapés.

Il n'y a pas que des profondeurs aquatiques que peuvent surgir les surprises ; l'esprit humain a ses fonds noirs et le travail de l'écrivain ne consiste-t-il pas le plus souvent à aller y pêcher les mots, les images, les souvenirs qui touchent et émeuvent ?

Toujours est-il que, très jeune, j'ai pris goût à la pêche. Quelques années plus tard, j'ai été saisi d'une véritable fièvre pour la pêche à l'éperlan, ce saumon miniature, naguère abondant, qui remontait le fleuve, du début à la fin de l'automne, dans le but de retrouver ses frayères. Je me souviens qu'un automne — je devais avoir dans les treize ou quatorze ans — une épidémie de grippe avait à ce point clairsemé la population de mon collège que les autorités décidèrent d'interrompre les cours pour une semaine. Quelle aubaine ! Tous les jours, le vieux quai Gilmour, au début de la marée montante, me voyait arriver avec mon attirail modestement constitué d'un panier à fruits et d'un long bambou jaune supportant une ligne armée de six hameçons. Je pêchais toute la journée et si la marée *adonnait,* je restais pour la pêche du soir. On allumait alors les lampes-tempête et les fanaux à naphta qu'on descendait, suspendus au bout d'une corde, tout près de la surface de l'eau. Les grands cercles de clarté noyée donnaient à l'eau sombre une couleur étrange, que je n'ai revue nulle part au cours de ma vie.

Des groupes se formaient, des camaraderies d'un jour naissaient, qui mettaient ensemble des vieux drôles, des silencieux appliqués à leur seule affaire, des philosophes naturels, des femmes rieuses qui parlaient aussi haut que les hommes. Tous les pêcheurs s'alignaient sur le même côté du quai, vent derrière. Les lignes montaient, descendaient, avec une régularité presque mécanique. Fusaient les blagues et les remarques :

— Eh bien, mon chicot, qu'est-ce que tu fais icitte au bout de ma ligne ? Va de suite retrouver ta mère !

— On dirait un capelan tant il est feluette…

— Voyons, Morin, tu sais ben que le capelan ne sent pas le concombre comme l'éperlan.

— Ouvre-lui la bouche, disait notre Jos Connaissant, le comptable du Chantier, s'il a des dents sur la langue, c'est bien un éperlan.

— Ah ! moi, c'est pas mêlant, disait une voix de femme, ça me traverse de voir sortir ça de l'eau : un beau dos vert comme de l'huile d'olive, les flancs qui brillent, les petites nageoires qui clignotent comme des lumières…

— L'éperlan du soir, c'est un vrai champ d'étoiles qui monte du fleuve.

— Un vrai plaisir pour les yeux.

— Moi, c'est à mon assiette que je pense. Il faut dire que l'éperlan, c'est la dernière manne qui nous vient du fleuve avant l'hiver, dit le Renfrogné.

— Eh, les gars, un monstre ! Je suis sûr qu'il y a un monstre qui grignote le bout de mon hain !

— Pique-le, torvis ! On veut le voir, ce monstre-là.

— C'est pas toujours les plus grosses qui halent le plus fort, lança le bonhomme Pérusse qui ne laissait jamais passer une occasion de faire des sous-entendus.

— Francine ! Chante-nous donc ton air d'hier soir, qu'on se réchauffe les bajoues.

Francine, emmitouflée comme au fort de l'hiver, commençait. Et peu à peu le chœur entonnait :

Quand ça pique, pique, pique
Quand ça pique à l'hameçon
On retire vite, vite
On retire le poisson
Ah ! qu'il est doux le plaisir de la pêêêcheuu…

Je garde un souvenir très net de la brillance nacrée des éperlans que les longues gaules hissaient hors de l'eau noire et qui frétillaient dans la lueur des fanaux. Le moment le plus faste se situait à la fin du montant et au commencement de la marée baissante. En deux ou trois heures les paniers, les seaux et autres contenants de fortune se remplissaient à ras bord. Je ne me souviens plus si la grippe a fini par m'agripper au bord du quai. Je sais seulement que c'est au cours de cette semaine que je vécus une des aventures marquantes de ma jeunesse.

Ruine, le quai Gilmour l'était bien trois fois plutôt qu'une. Depuis sa désaffectation, un peu avant la Deuxième Guerre, l'action des courants et les gels de l'hiver l'avaient séparé en trois sections que l'on pouvait à marée basse relier à pied, mais qui, avec la crue, se muaient en amoncellements de billots et de pierres, traîtres comme des pièges. Quel mauvais esprit m'avait, cet après-midi-là, enhardi à dépasser les deux sections les plus proches du bord et à rejoindre, à gué, sautant d'une poutre à un billot, d'une pierre à une autre, le tronçon du large ? Je voulais sans doute me retrouver seul dans le lieu que j'estimais le plus poissonneux et qui, en prime, me rapprochait de quelques mètres de l'île d'Orléans, paradis secret de tous mes rêves. L'éperlan, en effet, mordit si bien et m'absorba si fort que je ne vis pas le montant de la marée venir vague par vague contourner la structure. Ce n'est qu'à la fin de l'après-midi, quand je voulus regagner la terre ferme, qu'il me fallut reconnaître que j'étais captif. Des frissons aigres me figèrent le corps et une boule cogna dans mon ventre. Je ne voulais pas mourir. Je ne voulais pas m'enfoncer dans l'eau glacée.

Comment le soir avait-il pu venir si vite ? Je voyais là-bas les premières lumières apparaître aux maisons de la rive. Je dénouai mon écharpe pour la fixer au bout de la gaule et je commençai à faire de grands signaux en criant comme jamais je n'avais crié, comme probablement je ne crierai plus jamais.

Quelques éternités plus tard, je vis une chaloupe à rames se détacher de la grève et venir à ma rencontre. Je ne me rappelle plus le nom ni le visage de la personne qui m'a sauvé. Je me souviens seulement d'une verchère qui aborde l'îlot-piège et d'une voix rude qui me dit : « Embarque ! »

Le soir était venu. Une lune de nacre monta dans le ciel du sud. Le rameur me conduisait en direction de l'usine de filtration et il me semble que ce voyage a duré des heures. En tout cas, j'eus le temps de voir, à mesure que nous nous éloignions du vieux quai, qu'une des sections ressemblait à une petite île ronde et qu'une lumière clignotait au ras de l'eau. Un pêcheur d'expérience venait d'allumer sa lampe-tempête. J'eus peur pour lui, mais le rameur m'affirma que cette section était plus sûre que celle dont il venait de me délivrer. J'eus le temps également de remettre ma ligne à l'eau et de la laisser traîner derrière l'embarcation. Surprise ! Un poisson, derrière nous, brilla un moment dans la lumière de la lune et replongea. Ce n'était pas un éperlan, le rameur prononça le mot « sardine », mais je sus plus tard en arrivant

chez moi, où je me gardai bien de raconter mon impru-
dence, que ma dernière prise était une alose, espèce apparen-
tée au hareng et encore présente dans les eaux du Saint-
Laurent en aval de Québec. Aujourd'hui, quand j'entends le
mot « alose », je pense à l'eau noire, je pense aussi à l'azur et
à cette lueur qui tremble à ras d'eau dans la nuit d'automne.

CLARTÉ

R ien ne m'avait vraiment préparé à vivre, ce jour-là, un des moments les plus clairs de ma vie.

Dès que je pus m'évader de la ville, comme je le faisais souvent, à l'époque, après une bonne matinée de travail, je sautai dans ma voiture et filai vers mon petit ermitage du bout de l'île, au bord du fleuve. C'était un après-midi de septembre tiède et épanoui, une de ces journées où l'on ne sait plus si c'est l'été qui traîne ou l'automne qui tarde à s'installer.

Dès mon arrivée, je levai les stores, ouvris les carreaux pour faire circuler un peu d'air et me postai devant la grande fenêtre du nord pour goûter un moment le paysage connu, pour voir remuer, sur la ligne de basse marée, les attroupements migratoires des sarcelles et des bécasseaux, et surtout pour voir le vent faire des houles sur les herbes de la batture, que le mois d'août avait dorées en les mûrissant. Puis je m'installai pour me livrer à un de mes plaisirs : au milieu du grand silence, un livre à la main, prendre appui sur une page

de lecture, m'en extraire aussitôt et m'élancer sur toutes les pistes du rêve éveillé.

Vers quatre heures, je sortis, pour connaître un autre de mes délices : arpenter une petite allée qui séparait, d'est en ouest, le pré de mon voisin d'un bois de saules et d'aulnes bordant la grève, allée que j'avais baptisée : le sentier de la contemplation prochaine. Ce sentier m'offrait à peu près tout ce qui a de l'importance au monde, hors l'être humain et ses hautes œuvres. J'y voyais le fleuve, le cap Tourmente, l'ouverture sur l'estuaire. J'y voyais le grand ciel et le dos des montagnes dessiner à l'infini leur ligne mélodique. Et plus près, à pouvoir les toucher même, des plantes sauvages, des arbustes, des fleurs, des arbres, des petits fruits, des insectes et aussi, bien sûr, des oiseaux. À travers toutes ces merveilles, je marchais, l'œil aux aguets, le corps délié, l'esprit calme, mais disposé à tous les embrasements.

C'est en revenant vers l'étroite maison rouge — il devait être autour de cinq heures — que l'événement s'est produit.

Comment cela s'est-il annoncé au cours des heures, des jours et des nuits précédentes ? Dans quel état se trouvaient mon corps et mon esprit pour me disposer à ce qui advint ? Que s'est-il passé au fond de la réalité, dans le lointain du paysage, derrière l'apparence des choses ?

Cet événement a eu lieu il y a quinze ans ; souventes fois je l'ai revécu en pensée, essayant de détailler chacun des éléments en présence.

Il était donc cinq heures, à la mi-septembre. Le vent venait de fléchir. Le ciel était pur, mais de légers nuages commençaient de se rassembler et de rosir, au-dessus des montagnes, vers l'ouest. Je me souviens de l'endroit précis où je me trouvais : au pied de la pente naturelle qui menait de ma porte jusqu'au fleuve, un petit lieu dégagé, fait de sable et de galets, entouré de menthe sauvage, d'asters et de silènes. Tout près, des liserons aux clochettes blanches enserraient le tronc des jeunes saules.

Et puis cela est arrivé.

Mon corps tout à coup s'est délesté de ses enveloppes de pesanteur et j'ai senti ruisseler dans mes membres ce bien-être qui vient parfois de la fusion amoureuse, quand on a touché le rivage désirable. À mesure que ce bien-être devenait plénitude, une excitation envahit peu à peu mon cerveau. Comme si ma tête s'ouvrait dans chacune de ses parties, comme si elle s'élargissait, s'éclairait de lueurs qui pétillaient et donnaient naissance à d'autres lueurs encore. Je percevais les vagues de ma propre énergie, je goûtais le rouge de mon sang passer dans mes fibres. Une force tranquille m'habitait, qui me rendait capable de prendre avec moi tout ce qui vivait là, en ce moment précis, en ce lieu précis de l'univers.

C'est bien ce qui était en train de se passer, là, autour de moi : la vie exultait. Tout était en train de vivre d'une vie ample et multipliée. Chaque plante de la batture vivait. Toutes les couleurs, toutes les formes de chaque plante vivaient. Toutes les nuances de chaque couleur vivaient. Chaque arbre vivait. Chaque feuille de chaque rameau de chaque branche vivait. Les bouleaux vivaient. Les érables,

les épinettes, les frênes vivaient. Les amélanchiers avec leurs petites poires, les aubépines avec leurs cenelles vivaient. Et même les vieux rochers verdis par les lichens, les moraines transportées là par le grand glacier en des temps si lointains, eux aussi vivaient.

Toute cette réalité était à ce point débordante de présence que je pouvais entendre ce qu'elle disait. En tout cas, je me sentais prêt à percevoir ce qu'on me murmurait.

Les sagittaires attiraient mon attention sur la beauté de leurs feuilles, fers de lance proches de la forme du cœur. Et elles me disaient : dis la force et la délicatesse de notre beauté, dis notre ardeur à pousser nos racines dans la vase du marais, notre soif de lumière, la précieuse simplicité de nos fleurs.

Les troupeaux de salicaires, les assemblées d'épilobes m'invitaient à dire leurs couleurs voyantes, le flamboiement de leurs chandelles élancées, leur propension à s'étendre et à envahir leur terrain d'accueil.

Les bandes de sarcelles et de canards, qui maintenant venaient tournoyer presque à ma hauteur, me pressaient de dire les voyages des migrateurs, la précision de leur vol, la puissance de chaque plume de leurs corps, le sens de leurs appels, la grâce de leurs évolutions aériennes.

Le Bruant chanteur, caché quelque part au fond de la saulaie, me confiait avec son chant un peu désordonné : « Sauras-tu dire la musique que je donne ? Sauras-tu exprimer l'ardeur qui me porte, la chaleur qui fait bouillir mes veines, le feu qui me transporte ? Pourras-tu même essayer de découvrir pourquoi je vis ici, si près de ta maison, quelle est ma vie secrète au cœur de vos étés ? Pourquoi je chante mille fois dans un jour, pourquoi je viens, pour me produire, me poster sur cette cime et non pas sur telle autre, tenteras-tu de le savoir ? »

Un busard passa au-dessus des hautes herbes, qui lui aussi devint si vivant que je remarquai l'éclair de son regard, la gouge de son bec, l'aisance de chaque battement d'ailes, le dessin de chacun de ses mouvements dans l'espace. Ses serres me parlaient du fil implacable de l'outil, la couleur de ses plumes m'enseignait l'accord de l'animal avec chaque élément de la végétation.

Et les menues parulines d'automne, qui bougeaient en pépiant dans les fourrés, toutes me questionnaient : « Sais-tu bien d'où nous venons, où nous allons ? Sais-tu pourquoi nous avons quitté, au printemps, en plumage d'apparat, les climats du Sud, pour aller nidifier au fond des grandes pessières du Labrador ? As-tu bien prêté l'oreille à toutes les harmoniques de notre chant si ténu, mais tellement expressif ? Sais-tu ce qui nous tient si actives à travers les feuillages, quelle nourriture comble nos appétits immenses ? »

Les oiseaux, les plantes s'exprimaient devant moi. Mais aussi les grillons, les retardataires de la saison, tapis sous les foins, parlaient de force, de musique, de constance, de la simple sagesse à fleur de terre. Les sauterelles venaient s'épanouir une seconde dans les airs, en crépitant, puis redevenaient émeraudes sur le sol nu.

Même le foin vivait. Chaque brin de la pelouse vivait. Les premiers mousserons de la saison vivaient. Et mon petit chalet rouge, tassé sous les grands arbres, me semblait si bien fondu à son décor qu'il devint, en cet instant, plus large qu'un château, plus vaste qu'un temple.

Combien de minutes a duré cette expérience, je ne saurais le dire avec précision. Dix, peut-être. Mais ces dix minutes n'ont jamais cessé de se distendre dans ma mémoire. Ce qu'on appelle l'éternité n'est sans doute pas plus ample. Car ce n'est pas seulement la réalité extérieure qui se révélait à moi. C'est toute ma vie que j'avais là, devant mes yeux, et que je pouvais toucher. Mon enfance avec ses envols et ses souffrances, mes amitiés, mes études, mes amours, et enfin le choix capital, celui qui a donné sens, direction et saveur à chacune de mes journées : le désir d'écrire, le besoin d'écrire, la décision de consacrer jusqu'à la fin mes meilleures forces à l'écriture. Jamais autant qu'à ce moment je n'ai senti tout ce qu'il me serait permis d'exprimer avec l'écriture. J'ai très bien vu, durant ces minutes précieuses, que presque tout ce que j'avais écrit jusqu'alors était en quelque sorte le prélude de ce qui me restait à exprimer. Et qu'avais-je à exprimer, sinon la vraie présence de la vie, sinon chaque détail de chaque présence de vie autour de moi ?

J'ai vu, à travers cette ouverture qui s'était faite dans ma tête, à travers cette montée d'allégresse dans mon corps, à travers cette fabuleuse concentration qui m'éclairait, j'ai vu, bien étalé devant moi, le travail qui occuperait les années, les décennies à venir : l'attention à porter à chaque chose, à chaque objet, à chaque être vivant, à chaque beauté humble de la flore et de la faune ; j'ai vu ma volonté de creuser là où les circonstances de la vie m'ont fixé ; j'ai vu la somme de recherches que j'avais à poursuivre pour fonder ma connaissance ; j'ai vu la possibilité de transformer, par l'œuvre, l'ordinaire en lueur et le sable en cristal ; j'ai vu quelles merveilles je pourrais découvrir si je me mettais vraiment en quête de ce qui est caché. Puis j'ai senti bouger dans ma mémoire les gens de ma vie, mes proches, la foule muette de toutes les personnes qui avaient traversé mon existence et qui se tenaient là, derrière les portes, attendant de vivre dans un récit, une histoire, un poème.

Et les mots ? Je sentais en moi une masse incroyable de mots, un univers de mots qui ne demandaient qu'à prendre feu, qu'à se charger de sens, dans la solitude alchimique du travail quotidien.

Dans la même fraction de seconde où, par exemple, mon regard suivait la course folle de trois bécassines que le busard avait fait jaillir des hautes herbes et qu'un vol en dentelle menait au fond de l'anse, dans ce morceau d'instant je me voyais chez moi, à Québec, arpentant ma chambre, de la fenêtre du sud à celle du nord, et me parlant sans fin de mon travail.

Écrire. Qu'est-ce qu'il faut, au juste, pour écrire ? Je considérais mes outils et me disais :

Pour écrire, il faut un crayon, du papier, une lampe, une planche, un peu de pain, un verre, du silence, de la tranquillité, des conditions — comment dire ? — des conditions d'inertie dynamique. Il faut de l'eau, de l'air, de la terre et du feu. Et puis du temps. De longues plages de temps, des grèves, des anses, des fjords de temps gagnés à même le fleuve de la vie qui va. Il faut aussi, je pense, de l'audace. De l'audace liée au désir constant et inassouvissable de partir seul, de plonger, de circuler au fond, au désir de traquer ce qui remue là et que vous n'avez encore jamais pu nommer, au désir de faire, de fabriquer, d'inventer une histoire, un poème, un texte qui vous fonde et vous porte. Ensuite, il vous faut des mots, des souvenirs, beaucoup de souvenirs, des souvenirs qui n'appartiennent qu'à vous et qui seuls sont capables de fournir une matière neuve. Ces souvenirs cherchent depuis toujours à trouver vie et forme dans des mots. Votre métier d'artisan consiste justement à faire monter ces mots de vos profondeurs, à organiser, à charpenter ces matériaux quand ils commencent à affluer dans votre esprit. Cela prend du temps. Beaucoup de temps.

Du temps, il en faut, puisque l'opération première, c'est l'attente. Travailler, pour un écrivain, c'est prendre un outil dans sa main, poser cet outil sur la page blanche. Et attendre. Être là à attendre, même si le corps souffre, même si l'esprit semble désert. Attendre qu'une vie advienne, attendre que de la réalité tactile une sorte de réel émerge. Tout est dans l'attente. Jamais il ne faut quitter la page des yeux, jamais. Bientôt, un mot surgira, puis un autre, qui permettront l'invention d'une première phrase. L'apparition de la première phrase sur la page : bonheur et récompense majeure de l'artisan.

Durant ces minutes de clarté, au bord du fleuve, cet après-midi de septembre, j'ai très bien compris que jamais je

n'arriverais à rien écrire de vivant si je ne savais pas voir ce
qui vit dans la plus humble présence, dans l'objet le plus
usuel, le plus banal, dans la réalité la plus ordinaire offerte
par notre destin de chaque jour. Comment dire le large si
l'on ne connaît pas l'étroit ? Comment révéler le lointain
sans montrer le proche ? Comment peut-on rendre, par l'art,
les grands sentiments de l'existence humaine, les questions
qui agitent les profondeurs, les lignes de force du tissu social,
comment rendre les premiers mouvements de l'âme si l'on
n'a pas su porter un regard enchanté et presque bienveillant
sur la plus simple manifestation de la vie autour de soi ?

Mon amour en moi me disait : comment pourras-tu me
décrire si tu ne peux exprimer l'apparition de cette plante
dans la vase obscure, son désir de monter dans la lumière, sa
lente progression vers la fleur, sa recherche de la fécondation
et du renouvellement ? Comment peux-tu prétendre signi-
fier le premier souffle de l'amour si tu n'es pas assez sensible
pour voir ce qui agit dans l'œil du renard, pour capter la
voix unique de chaque oie sauvage au milieu de la volée,
pour saisir chaque harmonique du chant étouffé de la grive,
pour deviner la légère beauté de chaque nid de chaque animal, pour percevoir les forces qui circulent dans le noir le
plus noir de la nuit ?

Et le soyeux de ton amour ? Comment le transmettre
aux autres, le soyeux de ton amour, si tu n'as pas senti dans
ta main, longuement, chaque fibre libérienne d'une cosse
d'asclépiade ; si tu n'as jamais suivi du regard une graine de
pissenlit partir sur le vent, voler en tournoyant sur elle-

même, avant de descendre et de se poser sur une flaque
d'eau dormante ; si tu n'as pas touché du doigt l'ouvrage
parfait d'un nid de colibri ; si tu n'as pas cligné de l'œil
devant chaque paillette de soie présente sur l'aile du plus
menu des papillons ?

Et le parfum de ton amour, comment peux-tu le tra-
duire si tu n'as pas posé tes narines sur le sol d'une forêt humide ; si tu ne peux humer la vase sous la roche qu'on vient
de soulever ; si tu ne peux goûter la saveur de l'aubier sous
sa vêture d'écorce ; si tu ne peux sentir le fond de chaque
nid ; si tu ne peux prendre avec toi ce qui vient de chaque
corps au travail, de chaque corps souffrant, de chaque corps
jubilant ; si tu ne peux distinguer l'odeur du poisson qu'on
retire de l'eau noire ; si tu ne frémis pas en reconnaissant, de
loin, la cigarette qui brûle aux lèvres du pêcheur de nuit ?

Et la tendresse humaine ? Comment dire le passage de
la tendresse si tu ne peux voir comment le vent fait trembler
le feuillage de l'arbre pâle ; si tu n'as pas longuement regardé
l'animal laver chacun de ses petits avec sa langue ; si tu ne
peux sentir ce qui porte le ruisseau vers la rivière, la rivière
vers le fleuve et le fleuve vers la mer ? Peux-tu imaginer le
désir de la rivière de se fondre dans le fleuve ? As-tu vu, sans
en être élargi, le lieu exact où la puissance du fleuve accueille
la force de la rivière ?

Et comment dire la voie d'une seule caresse, si tu n'as
pas passé des heures, au bord du fleuve, à regarder venir la
marée montante, à voir les très faibles vagues avancer vers le
bord comme des souffles visibles, comme des respirations

huileuses, contourner chaque roche, s'arrondir autour de chaque galet, enserrer et mouiller chaque plante de mer, attendre, attendre pour se grossir, puis s'immiscer dans les rigolets et ainsi venir combler l'ensemble du rivage ?

Si tu as déjà pris le filet de lumière au fond du puits perdu ; si tu peux exprimer l'embrasement qui va monter, là-bas, vers l'estuaire, quand l'aube sera mûre ; si tu as perçu l'étrange musique qui vient, en mai, du lac, à l'heure précise où toute la surface de glace va s'immerger ; si tu vois l'eau cachée dans tous les corps vivants ; alors tu peux sans doute penser à dire la profondeur de ton amour.

Mais comment peux-tu parler de l'amour, si tu ne peux voir le sentier dérobé qui mène à une réflexion sur la mort ? Et parler de la mort, comment le feras-tu si tu n'as pas pris le temps de vraiment regarder l'écoulement de toutes les eaux vers le fleuve et le passage du fleuve vers l'océan ?

Le chemin lui-même, le comprendras-tu si tu n'as pas deviné le sens de ta propre main ? Et ta main, qui est-elle, ta main, sans l'outil qui la comble ? Et l'outil, comment le comprendre, si l'on n'a pas vu l'ouvrage de chaque étoile dans le troupeau des constellations ? Et l'étoile, est-ce qu'elle ne permet pas de comprendre la secrète et haute lumière du désir ? Et le désir, où mène-t-il sinon au fleuve ? Et le fleuve, où va-t-il sinon vers ta propre naissance ? Comme la naissance doit conduire à une ouverture et l'ouverture, à un chemin.

Ce furent donc dix minutes, dans ma vie, qui sont venues me prendre un après-midi de septembre, au bord du fleuve. Ces moments lumineux sont rares, et, sans doute à cause de leur rareté même, constituent les pivots de toute une existence. On ne peut ni les prévoir, ni les provoquer. Comment et pourquoi nous sont-ils donnés, je ne peux le dire. Ils arrivent à l'improviste, dans le lieu le plus coutumier, ou le plus extraordinaire, c'est selon, dans un temps que vous ne pouvez pas choisir. Ils comblent des années d'attente. Ils viennent couronner des années habitées par le désir secret, presque inavouable, de vous fondre à ce qui est, le désir de sentir l'être du monde vous pénétrer et, dans le même instant, de sentir votre être passer enfin hors de ses enveloppes pour couler dans le flux qui emporte. Oui, c'est bien d'un passage qu'il s'agit.

ÉPOQUE

J e venais de m'installer à ma table avec le projet d'écrire. J'affûtais mes crayons, je calmais peu à peu la rumeur, j'allais atteindre la désirable concentration quand apparut dans mon esprit une pensée d'abord incertaine, qui se précisa sous la forme d'une question : dans quel siècle aurai-je vécu ? Dans quel temps se sera écoulé mon temps de vivant ? Je laissai l'imagination errer à travers les souvenirs, les concepts, les réminiscences littéraires, puis me ravisai et commençai de considérer les objets qui, là, dans la pièce, m'accompagnent.

Ce simple morceau de papier, par exemple, où je me prépare à tracer des signes, de quoi ne me parle-t-il pas ? De la naissance de l'écriture, oui, de la transmutation des idées en signes visibles, de l'amour de la lettre et de la lettre d'amour, de cet objet quasi magique qu'est le livre, de la diffusion des connaissances. Ne me parle-t-il pas aussi de l'envers de la merveille : l'industrie papetière si néfaste aux cours d'eau, les coupes forestières anarchiques, le déboisement de territoires considérables, les nouveaux déserts ?

En quittant la feuille blanche, mon regard s'arrêta sur la lampe électrique, considéra le téléphone, fixa la radio, sauta de la plume à l'ordinateur, effleura la chaise ergonomique conçue pour soulager le mal du siècle, caressa en passant quelques photos et des tableaux pour la plupart abstraits. Le télescope et la loupe me parurent d'excellentes pistes de départ, mais je fus vite distrait par les sculptures sur bois représentant des oiseaux, objets propices à l'envol de la pensée. Pour reprendre mes esprits, je me levai et me postai devant l'étagère aux livres. Mais il est là, me dis-je, le siècle ! Le meilleur de mon siècle était là avec ses apports critiques, ses prolongements poétiques, ses constructions romanesques, mais j'avais besoin d'autres réponses que celles qu'on trouve dans les livres. En reprenant place à ma table, mes yeux se portèrent en fin de compte sur la carafe d'eau qui m'accompagne toujours quand je travaille. J'essayais bien de m'en extraire pour traverser la fenêtre sur ma droite et m'attacher à ce qu'elle m'offrait : l'architecture des maisons voisines, la trace du Boeing dans le ciel, la forme et la vitesse des autos, les vêtements et la démarche des passants, mais sans cesse je revenais à cette carafe à moitié pleine d'eau pure. C'est elle qui me suggéra le chemin à suivre pour atteindre le lieu de la réponse.

Je m'habillai et sortis. Pour me rendre où je voulais aller, il me fallait parcourir une partie de la ville, ce que je résolus de faire à pied.

Au sortir de mon quartier résidentiel où je croisai une

bonne douzaine de joggeurs aux yeux brûlants, je pénétrai dans le secteur des banques et des églises. Quelques temples affichaient des expositions, des concerts, des loteries et des spectacles de son et lumière, mais aucune institution d'argent, me sembla-t-il, n'avait été détournée de sa vocation première. Tout inspirait la confiance en la propreté. Un homme justement s'apprêtait à faire disparaître d'une façade un graffiti qui n'avait pourtant rien, à première vue, de séditieux : L'USURE DE NOTRE TEMPS. L'immeuble voisin appartenait à un parti politique. Mon attention se porta sur une affichette collée près de la porte d'entrée, où je pus lire le message suivant : « Écrivain demandé pour travail de conception, rédaction, correction. Nous recherchons une personne de talent, douée d'une saine ambition, désireuse de travailler vraiment pour son pays et souhaitant vivre dans l'intimité d'un grand chef. Nous assurons les conforts et privilèges habituels. »

J'achevais ma lecture quand m'aborda un homme au visage grave et pâle, qui sortit de son blouson élimé une carte où l'on avait gauchement écrit les mots : POUR MANGER, S.V.P. Deux secondes je soutins son regard implacable, lui donnai mon obole et lui conseillai d'aller se promener plutôt chez les gens modestes. Ils donnent plus volontiers.

Le grand cinéma Empire américain proposait cinq films dont tous les titres se ressemblaient : *La Fracture, La Déchirure, La Rupture, La Blessure, La Cassure.* Je me mis à penser à l'année de ma naissance, sise en plein milieu d'une énorme brisure, cette Seconde Guerre mondiale qui sépara le siècle en deux et commença de sonner le glas de la modernité en privant l'avenir de ses belles promesses et en ternissant la notion de progrès.

C'est en revoyant toutes les guerres du siècle, en revoyant cet océan de larmes et de sang, cette galaxie de douleurs, l'horreur infinie des atrocités planifiées, c'est en revoyant tout cela que je débouchai sur le grand boulevard qui me mènerait tout près de ma destination. Le printemps était là depuis trois jours et déjà les trottoirs résonnaient de vie neuve. Les gens, comme frottés de lumière légère, déambulaient, des enfants s'enlaçaient en pleine rue, des couples bigarrés s'embrassaient et s'embrasaient au vu de tous, les terrasses des cafés se peuplaient de musiques et de paroles. Dans le square de l'Étoile pourpre, sous la polyphonie des grands arbres, des flâneurs de tous les âges lisaient des volumes. À la porte de la Grande Librairie, voisine de la Presse internationale annonçant les journaux parus la veille à Berlin, Paris, Mexico, une longue queue s'était formée. « Que se passe-t-il donc ? » demandai-je, ému, à une des personnes de la file. On m'apprit que ce matin-là une célébrité autographiait le troisième tome de ses mémoires préposthumes. Songeur, je poursuivis ma promenade et traversai le boulevard à l'intersection de la rue Saint-Espoir. Je remarquai alors que tout le quadrilatère, encore occupé l'année précédente par les cinquante boutiques de la Fraternité des artisans, avait fait place à un immeuble qui allait devenir, selon les termes de la publicité, l'orgueil de la ville et qu'on avait baptisé l'Espace Paradis.

Par les arcades de pierre blanche, on pénétrait dans de spacieuses galeries réunies par des escaliers mécaniques. Se trouvaient là, baignés de musique gélatineuse, non pas des magasins, non pas de ces boutiques omniprésentes en toutes cités, mais des salons de beauté, des officines rutilantes, des cliniques, des entreprises de soins. « Tout pour le corps et pour l'âme. » Au rez-de-chaussée logeaient une agence de voyages, un centre Éros et Éthos, et toute la gamme des thérapies par la main, par les aiguilles, par les dards, par les herbes, par les eaux, par la parole et par l'œil. Le premier étage au complet était occupé par une école d'autodéfense, une association d'arts martiaux et le plus grand centre de musculation de la capitale. Derrière une large vitrine étaient alignées vingt-cinq bicyclettes ergométriques presque toutes en ce moment montées par des pédaleurs et des pédaleuses qui, au bout de leur peine et de leur souffle, lancés dans une furieuse course immobile, fixaient une invisible ligne d'arrivée qui était peut-être, me dis-je, le terme de ce deuxième millénaire dont on est si pressé de sortir.

Aux deux étages supérieurs, la Section des sectes faisait des affaires d'or.

Cette exhibition m'incita à retrouver le trottoir du boulevard et à poursuivre ma route. Une côte en pente raide m'amena à l'entrée de la vieille ville. Là aussi le printemps exultait. Comme toujours les cours arrière des maisons stimulaient ma curiosité ; c'est là que se révèlent la détresse et l'ingéniosité des citadins. Il se passait quelque chose d'inhabituel dans la cour de la garderie Bonhomme Soleil. Tous les enfants, en silence, faisaient cercle autour d'un jeune homme très grand, maigre, coiffé d'un chapeau de paille au bord effiloché et vêtu d'une salopette verte. Je vis qu'il était à planter un arbre. Quelqu'un lui parla d'une fenêtre de l'établissement, il se retourna et d'une voix forte répliqua : « Je ne leur ai dit qu'une seule chose à ces petits : apprendre à regarder un arbre, c'est apprendre à être en vie. S'ils ne voient jamais planter un arbre, comment voulez-vous qu'ils aient envie de grandir ? C'est tout ce que je leur ai dit. » Et il s'agenouilla au bord du grand trou qu'il avait creusé.

Deux pâtés de maisons plus loin, il m'arriva une aventure qui, à la raconter, me trouble encore aujourd'hui. Une porte de plain-pied avec le trottoir était entrouverte. Sur la première marche d'un vieil escalier menant aux étages, une jeune fille était assise, recroquevillée, malgré le temps doux, sous son poncho de laine. Sa belle chevelure roussâtre collait à ses joues. Elle m'aperçut.

— Viens ici. J'ai besoin d'aide.

— Que puis-je faire pour vous ?

— Aide-moi ! J'ai faim.

J'allais mettre ma main dans ma poche. Elle s'impatienta :

— Non, j'ai pas faim de ça.

D'un geste brusque elle releva son manteau. Je vis tout de suite la seringue et l'aiguille qui avait déjà commencé à pénétrer le creux du coude. Les yeux de cette fille, oh, quel effroi, quelle plainte !

— Que veux-tu que je fasse pour toi ?

— Serre le bras ici, que j'entre cette maudite aiguille. J'ai les veines comme des spaghettis.

Debout devant elle, j'ai hésité un moment, puis j'ai pris ses deux bras dans mes mains, deux bras osseux à la peau brûlante, et j'ai serré. Longtemps, il me semble.

— Je ne peux pas, lui dis-je. Je ne te juge pas. Je ne te condamne pas, mais je ne peux pas. Je suis incapable de t'aider à t'injecter une substance que je ne connais pas.

— Sors-tu d'une autre planète, toi ? Qu'est-ce que tu fais pour te donner un flash quand tu trouves moche cette maudite vie ?

— Je ne trouve pas cette vie moche. Douloureuse, oui, parfois, à la limite du supportable, mais pas moche. Quand je veux mettre un peu de soleil dans mon corps, dans mon cerveau, dans mes nerfs, j'utilise autre chose.

— Tu te shootes avec quoi ?

— La musique. La grande nature…

— La nature ? C'est moi, la nature, quand les oiseaux crient dans ma tête.

— … La poésie. L'amour, quand c'est possible.

— On vit pas sur la même planète, toi et moi. Ton amour, ta poésie, c'est fini, ça, mon oncle. Arrive dans le vrai siècle !

— Si amour et poésie sont finis, alors, toi et moi, nous n'existons pas.

Finalement, elle retira la seringue, qu'elle jeta derrière elle. J'allais partir. Avec douceur, pendant qu'elle rabattait son vêtement sur ses genoux, elle me dit :

— Merci quand même, monsieur le printemps.

De rue en rue, le trottoir me conduisit jusqu'à la place de l'Hôtel-de-Ville. Sur le perron de la Basilique, je tombai sur mon ex-voisin Duclos, directeur d'une entreprise spécialisée dans la préparation de curriculum vitæ. Sans décoller le téléphone cellulaire de son oreille, il me salua distraitement puis tout à trac me demanda : « As-tu vu ton fleuve, ce matin ? Il est magnifique ! » « Comme toujours », répondis-je. Et m'engouffrai dans l'étroite rue Buade. Je dévalai la côte de la Montagne et, par la rue Dalhousie, gagnai les quais du Vieux Port. Il était midi.

Le fleuve n'était pas seulement magnifique. Magique il était, sans âge et toujours neuf, parleur et musicien. Tout à la fois, par sa seule présence, apaisant et tonique. La marée baissante (le reflux), qui se fait en face de Québec charrieuse de remous, poussait vers l'estuaire la masse mouvante des reflets et des clapotis.

Je n'eus pas besoin d'ouvrir la bouche pour poser ma question. Elle coula d'elle-même de mon esprit jusqu'à la surface de l'eau : dans quel temps aura passé mon temps de vivant ? À ce moment précis, un canard lumineux, un Becscie couronné pour être exact, nagea devant moi, entraîné par le courant. Il me lança comme un regard entendu et plongea. Cinq brasses et trente secondes plus loin il reparut, se lissa les plumes et s'immergea de nouveau. Cette fois-ci, il refit surface si près du quai que toutes ses couleurs me furent offertes : le dos noir, les flancs terre d'ombre, la queue effilée, le bec bleu et surtout cette huppe blanche et bouffante qui orne une tête de jais où l'œil sombre scintille. Avait-il, par des voies insondables, saisi la question qui m'occupait ? Il plongea encore et m'entraîna si loin à sa poursuite que bientôt une sorte de lueur monta des obscurités liquides. Elle était là, la réponse. Elle se nommait : profondeur. Nous aurons vécu, me souffla une voix venue de loin, dans un temps témoin de toutes les plongées.

Plongée au fond des mers où l'explorateur fit la rencontre d'animaux inouïs errant sur les fissures des plaques tectoniques ;

Plongée au fond des océans où nous perçûmes pour la première fois l'émouvante musique des baleines, sorte d'appel répercuté sur les fonds abyssaux et formant le plus raffiné des langages ;

Plongée au cœur de la cellule vivante ;

Plongée dans l'œil des volcans et dans le noyau des tempêtes ;

Plongée dans les lointains du noir cosmique où, parmi les quasars et les trous noirs, évoluent — filant vers où ? — les milliards de galaxies, composées de milliards de systèmes solaires, avec chacun son passé et son avenir ;

Plongée dans les particules élémentaires, autres galaxies de l'infiniment petit ;

Plongée dans l'univers espace-temps avec Einstein, qui unifia toutes les lois de la physique en généralisant la théorie de la relativité ;

Plongée, avec Freud et ses épigones, dans les profondeurs de ce qui fut appelé inconscient ;

Plongée sous les strates obscures de la mémoire involontaire avec Proust qui mit au jour, par l'élaboration du grand œuvre, la possible rédemption de la perte du temps personnel;

Plongée dans les structures des mythes d'origine;

Plongées archéologiques jusqu'aux sources de l'Homo sapiens;

Plongée dans les secrets de l'imaginaire poétique avec Bachelard;

Plongée dans les notions de l'Être et dans les phénomènes de la pensée critique avec les grands philosophes du siècle;

Plongée jusqu'aux racines du langage humain;

Plongée dans les raffinements de l'aliénation politique des hommes, des femmes et des peuples;

Plongée sous les arcanes de la notion de pouvoir;

Plongée dans le malaise, l'absurdité douloureuse de vivre le noir de toute espérance;

Plongée dans tous les creux jamais comblés du rêve d'artifice;

Plongée, avec les surréalistes, dans l'écriture exploratoire et dans la libération des valeurs sclérosées;

Plongée, avec les poètes audacieux, dans les plis et les dédales de ce qui se dérobe;

Et d'autres plongées encore, dans les secrets de la matière, dans l'étiologie des maladies, dans les possibilités du cerveau humain.

Le fleuve tenait toujours mon esprit. Et comme il arrive souvent en pareille situation, la réponse reflua avec la marée suivante et prit cette fois l'allure d'une autre question : comment l'abondance de la vie pourra-t-elle revenir dans les grandes veines liquides qui irriguent les continents ? En d'autres termes : comment en arriverons-nous à fournir en eau potable chaque habitant de la planète alors qu'en tous lieux la plupart des nappes phréatiques s'altèrent, quand elles ne s'assèchent pas ?

Cette pensée me ramena d'un coup à la carafe de verre que chaque matin je remplis d'eau claire avant de me mettre à l'ouvrage. Le plus mince filet de lumière s'y loge. Je crois même qu'au plus sombre de la nuit, elle continue d'irradier sur ma table, comme une lueur au fond du puits.

CARAVANE

J e les vois passer, ils voguent devant le cap de Québec. La ville n'existe pas encore, mais le mot, lui, vit dans une des langues indigènes et se prononce déjà Kebek, ce qui signifie *détroit* ou plus précisément *c'est fermé*. Dans cent ans, le Malouin et les autres explorateurs français rencontreront ici le premier rétrécissement du fleuve depuis le début de leur longue avancée au cœur du continent.

Je les vois passer. Ils sont vingt, trente, répartis dans cinq grands canots aussi légers que la blancheur du bouleau. Ils sont presque nus, leurs cheveux sont longs et noirs, leur peau couleur de cuir fauve, ils pagaient en cadence et les canots, portés par le reflux, filent vers l'aval. Où vont-ils ? Ils vont vers des lieux dont les noms pour la plupart ne nous disent plus rien, bien que certains aient été accueillis dans la langue des Blancs qui viendront : Cacouna, Rimouski, Témiscouata, Tadoussac, Kamouraska…

Qu'est-ce qu'ils avaient nommé au juste, ces nomades

qui voyageaient surtout par les voies d'eau ? Est-ce que chaque cap, chaque île, chaque rocher, chaque rivière, chaque anse, chaque crique du grand fleuve avait un nom ? On peut imaginer que chaque lieu de l'immense géographie avait effectivement un nom, un nom avec un sens, un nom qui rappelait une caractéristique du terrain, une histoire, une aventure, un personnage. Beaucoup de ces appellations ont été perdues, puisque ces peuples ne connaissaient ni la carte de navigation ni l'écriture. Mais là n'est pas la question. La question est celle-ci : nous qui sommes venus plus tard, pourquoi n'avons-nous pas nommé notre pays d'une façon plus poétique ?

Les toponymistes nous révèlent, par exemple, qu'au Québec seulement, huit cent mille lacs n'ont pas de nom. Ironiquement, les répertoires signalent l'existence de huit lacs appelés lac Sans Nom. Devant ce fait, mon imagination tout à coup s'enflamme et bientôt mes cartes géographiques se peuplent d'appellations nouvelles :

le lac des Aurores et de la Chute ;

les deux lacs Embrassés ;

le lac à Gérard dit le mesureur ;

le lac Tambour, voisin du lac Baguettes ;

le lac à la Rivière folle ;

le lac Debout ;

le lac des Trois Merveilles ;

le lac de la Misère à coudre ;

le lac du Proche intouchable ;

le lac de la Pluie orange ;

le lac du mont Fatigue ;

le lac Matsouï ;

le lac des Encore ;

le lac au Moulin sauteur ;

le Grand lac Fin.

Et les anses, les baies, les criques, les milliers d'enfoncements naturels, dents et trous de l'infinie dentelle des rives du grand fleuve ? Pourquoi en avoir nommé si peu ?

Je déploie sur ma table la carte de l'île. Parmi les centaines d'anses et de criques que je connais, que j'ai vues, où j'ai si souvent fait halte, une trentaine seulement ont été nommées. Et pourtant, quand je pense à toutes mes promenades le long de ces rives, je les revois toutes :

la crique de la Bécasse qui échappe au chien fou ;

la crique au Nom qui pince ;

la crique des deux Bouleaux gravés d'amour ;

l'anse du Doigt coupé ;

l'anse d'entre les Terres de peine ;

la crique aux Criquets ;

la crique de la Roche plate qui porte l'empreinte d'un corps couché ;

la crique du Petit Pois sensible.

Tout à mon aise j'emploie le mot crique ; je sais bien pourtant qu'il ne s'agit, dans la plupart des cas, que d'une simple petite anse enserrée par deux rochers, que d'un caprice de la géologie, que d'un havre modeste entouré de végétation. Mais j'aime le mot crique ; quelque chose en lui m'appelle, me fait signe, cherche à attirer l'attention, cherche

à venir au monde. C'est ainsi que j'ai conçu le projet de vous faire découvrir, dans l'île, des anses un peu secrètes, inconnues de la plupart, qui maintenant ont un nom.

La crique de la tendresse

C'est une fin d'après-midi, en été. Vous marchez sur cette grève qui vous offre une vue complète de l'île Madame, la plus occidentale des îles de l'archipel de Montmagny. Cette grève est peu fréquentée, car on ne peut y accéder que par le bord de l'eau, à marée basse, et sans doute par un chemin privé relié à la route principale. La marée haute est venue faire rouler sur la plage des galets, du sable, des joncs et toutes les petites curiosités charriées par le courant de la vie, mais le lieu est surtout constitué de crans rocheux recouverts de mousses et d'un foin de mer pâle et ras, posé en touffes comme des hures. Tout au fond de la crique, la falaise s'incurve en un parfait demi-cercle, assez pareil au chœur d'une église. Se trouve là un chalet de modestes dimensions, en bardeaux blancs, aux volets vert forêt. Toute la façade est occupée par une véranda un peu bancale, masquée sur toute sa longueur par des moustiquaires.

Vous vous demandez si le lieu est habité. C'est à ce moment que votre marche est ralentie par l'audition d'une musique paisible, assez mystérieuse, venant de l'intérieur de la petite maison. Jamais vous n'avez entendu de tels accents. Une sorte de bien-être vous saisit : vous vous asseyez sur une des roches plates qui bordent la crique et, sans vous soucier de votre indiscrétion, vous continuez à prêter l'oreille. Vous avez un faible pour la musique de chambre. Et il s'agit, à n'en pas douter, d'un quatuor à cordes. Mais de quel compositeur ? Quand la musique s'arrête, vous demeurez assis quelques secondes, vous vous levez, vous allez poursuivre votre promenade, mais vous vous ravisez et vous osez frapper à la porte. Des pas mous traînent sur le plancher ; on vient ouvrir. Apparaît un homme grand, la soixantaine un peu dégingandée, les cheveux en friche, une cigarette aux lèvres. Vous remarquez qu'il porte, malgré le temps doux, de grosses pantoufles fourrées, ce qui s'harmonise bien avec les bretelles qui retiennent son pantalon dont le moins qu'on puisse dire est qu'il a peu à voir avec la mode estivale.

— Salut. Entrez. Entrez.

Dans sa voix grave, un peu bourrue, vous percevez un fond de bienveillance. Vous vous présentez en lui expliquant le but de votre intrusion. Tout de suite l'homme s'éclaire. Il sort de sa poche un dentier qu'il se met en bouche, il vous gratifie d'un bon sourire, il devient même excité, il vous offre un siège, se poste devant vous et vous scrute, comme pour bien évaluer vos intentions. Puis il se calme et il va s'affairer devant sa chaîne stéréo. Jamais, dans un simple chalet d'été, vous n'avez vu une discothèque aussi bien pourvue.

Plus tard, au cours de la soirée, vous en apprendrez davantage au sujet de cet homme : qu'il est directeur d'école, qu'il est passionné de musique, pratiquant, selon ses dires, l'extase du profane, qu'il est réputé pour sa connaissance de l'œuvre de Bach et que vous avez des amis communs. Pour le moment, il vous tend la pochette du disque. Vous y lisez : *Quatuor à cordes* de César Franck. Vous avouez ne pas connaître cette pièce.

— Oh, je suis en train de la découvrir moi-même. Ce n'est pas, à mon avis, comme on le dit à propos des sommets de Bach, le plus grand triomphe de l'esprit sur la matière, mais c'est très grave, très riche.

— Est-ce que la musique est votre seule occupation de vacances ?

— Vacances ? Il y a trop de vide dans le mot vacances. Pour moi, tout est travail, tout est loisir. Dès que j'ai un moment, je viens m'enfermer ici et, dans le parfait silence, je m'enivre de musique qui est elle-même, vous le savez, une variation du silence.

— Ah…

— Une variation qui nous sort du silence qui précède et qui nous prépare au silence qui suit. Après une audition très attentive, ce silence qui suit, c'est encore de la musique, la plus belle qui soit.

Vous osez formuler cette réflexion : « Je commence à me demander si les vrais amateurs de musique ne tendent pas tous, d'une certaine manière, à une certaine vie… spirituelle. »

— Oui, j'en suis venu à me dire que la musique, c'est un peu la mystique de notre quotidien. Rien de religieux là-dedans, remarquez bien. Et maintenant écoutons, dans le calme, cette belle œuvre, presque introuvable sur disque, qui m'a été offerte par un ami, un poète wallon. Franck est liégeois de naissance, vous le savez peut-être.

Et la musique de nouveau emplit la petite maison.

— Écoutez. Écoutez ce mélange constant de tension et d'abandon. Pour ma part, j'entends dans ce larghetto une montée spirituelle, une extraordinaire aspiration à la délivrance et à la contemplation. Oui vraiment, sans la musique, la vie serait une erreur, comme disait le philosophe.

— Tout cela baigne, on dirait, dans une sorte de nostalgie...

— Je dirais, quant à moi, que tout cela baigne dans une grande tendresse. Oui, c'est cela, une immense tendresse pour tout ce qui vit avec nous sur la terre.

Et vous écoutez, un verre de gin à la main, ces accords qui vous lancent peu à peu en pleine euphorie. Au sens le plus fort du terme, vous êtes enchanté, vous êtes envahi par le chant, vous devenez chant vous-même, votre sang est une musique qui coule en rond dans votre corps, votre pouls est le rythme même de ce larghetto et, tout à coup, vous avez l'impression que tout se mêle à cette autre musique qui passe, par vagues de vent, sur le dos du grand fleuve, qui va animer les battures et la forêt de l'île Madame, qui se déploie dans tout l'estuaire et qui va rejoindre, vous en êtes persuadé, le choral infini de toutes les rumeurs océanes.

La crique de l'escalier qui chante

De toutes mes promenades le long des berges de l'île, la plus précieuse à ma mémoire est celle qui me fit découvrir un jour la cabane des poètes. C'est d'une manière bien

fantaisiste que je dis « poètes » : jamais je n'ai rencontré âme qui vive dans ce petit lieu tout dérobé, tout replié sous les arbres comme un objet dans un étui.

J'étais parti, avec mon pique-nique, en direction du bout de l'île en suivant le bord de l'eau, pataugeant dans les sphaignes du marécage, escaladant des rochers ou marchant sur de courtes plages de galets et de sable gris. Ces lieux m'étaient familiers, mais d'ordinaire je n'allais pas plus loin qu'une anse où se trouvait la grotte des Sauvages, havre naturel qui servait jadis, m'a-t-on raconté, de halte aux caravanes indiennes. Qu'est-ce qui me fit, ce jour-là, poursuivre plus avant mon excursion, je ne saurais le dire, mais je me félicite encore de cette inspiration ; grâce à elle j'ai fait la connaissance d'un lieu ensorcelant, qui en tout cas l'est devenu pour les raisons qui vont suivre.

À cet endroit de l'île, les fameux crans rocheux qui rendent périlleuse toute progression sur la berge se soulèvent brutalement par strates verticales et offrent l'aspect de hauts murs naturels un peu penchés vers le fleuve. C'est en gravissant un de ces murs colorés par des lichens orange que je découvris la crique. Une autre paroi la fermait vers l'est. Et au fond, tassée tout contre l'escarpement envahi par la végétation, une cabane. Si le mot pouvait convenir, il faudrait sans doute appeler cabanon cette construction de forme et de dimensions plus que modestes ; mais elle était si solidement faite, si joliment dessinée, si proprement peinte et entretenue avec tant de soin que l'esprit aurait pu évoquer, si le matériau avait été la pierre plutôt que le bois, les temples

minuscules découverts au cœur des forêts mayas. J'en fis le
tour avec prudence et fus surpris de découvrir, en une région
où tout chalet d'été est d'office vandalisé pendant l'hiver,
qu'on avait respecté l'intégrité des lieux. J'en découvris la
probable explication quand je poussai la porte et vis qu'elle
n'était pas fermée à clé.

L'intérieur surprenait, non par quelque luxe de déco-
ration ou par la présence d'objets remarquables. Au contraire, l'intrus (j'en étais un) était dès l'abord frappé par la
simplicité et la nudité du décor, par une austérité parfumée
de camphre et d'encaustique qui, au lieu d'accabler, allégeait.
L'unique pièce pouvait tout juste loger un menu poêle de
fonte noire, un grabat, une chaise, une table. Sur la table —
une planchette supportée par quatre pattes — on avait déposé une bougie fixée à une soucoupe. Un des murs — tout
était lambrissé en planches verticales bien cirées — s'ornait
d'une simple armoire de cuisine où l'on ne trouvait qu'un
paquet de bougies neuves et une boîte d'allumettes. Le seul
élément insolite de ce décor était la fenêtre, la minuscule
fenêtre qui donnait à l'ouest : elle avait été fermée par un
morceau de vitrail aux couleurs multiples, dont le dessin
évoquait vaguement la pointe d'une aile, soit d'ange, soit
d'oiseau. Objet inattendu, qui diffusait dans l'humble espace
une lumière prenante, si calme et si rare que mon premier
mouvement fut de m'asseoir devant la table. La porte ouverte, percée elle aussi d'une fenêtre étroite, découvrait la
plage, le fleuve, les Laurentides, le cap Tourmente.

Que faire en pareille circonstance, sinon saluer en

pensée le maître ou la maîtresse des lieux ? Et de poser les questions qui me venaient tout naturellement. Qui êtes-vous donc ? Êtes-vous homme ou femme ? Venez-vous ici pour observer les oiseaux ? (J'ai remarqué un nichoir d'hirondelles et un distributeur de graines accrochés aux arbres.) Y venez-vous en toutes saisons ? Pourquoi cette parfaite propreté en un lieu quasi sauvage ? Que venez-vous faire ici ? Faire le plein en faisant le vide ? Vous reposer des longs travaux et des bruits de la ville ? Venez-vous, ne serait-ce qu'une fois de temps à autre, écouter dans le parfait silence les voix et la musique du fleuve ? Je sens chez vous un souci du détail, une simplicité de goût, un amour de la lumière qui est, n'est-ce pas, le premier signe de la sagesse. L'impression que me donne votre menue retraite, c'est que chacun, ici, d'où qu'il vienne, qui qu'il soit, est très sincèrement le bienvenu, accueilli même, invité au recueillement, comme si cette cabane avait été imaginée, dès son projet, pour l'hospitalité, l'ouverture, la méditation solitaire.

Je laissai un mot de remerciement sur la table, refermai la porte et partis. Mais cette cabane-là, ce lieu singulier, ne parvenait pas à quitter mon esprit ; quelques jours plus tard je poussai de nouveau mes pas jusqu'à la crique. Je remarquai tout de suite que le petit mot écrit sur la table avant mon départ avait été collé sur la vitre de la porte. Il prenait de la sorte un sens nouveau : « Sous un petit toit, l'accueil est large. Le respect ici est de mise. Le fleuve et la vie sont ici. Avec le feu, la lumière, le silence. Merci. » Et on avait ajouté au crayon : « d'être venu(e) ».

C'est donc sans retenue que je pénétrai encore une fois dans la cabane. Seule la bougie avait été remplacée par une toute neuve. Rien d'autre n'avait changé. Je m'assis de nouveau devant la petite table et, par la porte ouverte, regardai le fleuve qui, peu à peu, modifia sa couleur. Un vent assez fort commença de souffler de l'est, qui mit des moutons sur les vagues et força les goélands à voler plus bas. Les arbres, au-dessus du toit, s'agitèrent. C'est alors que le chant commença de s'élever là, derrière, du côté de l'escarpement. C'était une musique comme jamais je n'en avais entendu, une musique sourde, modulée en mode majeur, d'une tonalité chantante, comme produite par un ensemble de voix accordées. Je sortis, contournai l'habitation et découvris si rapidement l'objet que je m'étonnai de ne l'avoir pas remarqué plus tôt. Cet objet se présentait sous la forme d'une rampe de métal constituée de deux escaliers opposés menant à une étroite plate-forme avec garde-fou. Le vent passait dans cette structure et faisait naître des sons si harmonieux que je restai là pendant de longues minutes à jouir de cet étrange concert. Puis je me souvins avoir déjà entendu parler des harpes éoliennes et particulièrement de celle qu'on avait installée près des côtes anglaises au début du siècle, un instrument de grande dimension, muni de dix cordes qui entraient en résonance quand les traversait un vent puissant.

Cette découverte m'emplit d'un sentiment où le ravissement se mêlait à l'excitation. Je retournai m'asseoir devant la table et pendant longtemps j'écoutai, immobile. Une extraordinaire lumière, venue de la fenêtre au vitrail, embrasait une partie de la table et tout un pan de mur. Je compris alors qu'on avait voulu créer en ce lieu une figure naturelle de la poésie. Tout ce qui fait l'être de la poésie avait été réuni comme à dessein : la musique, le silence, la lumière recréée, le travail de la forme, le sens du mystère, l'accueil d'une présence.

Je détachai de mon carnet une feuille où j'écrivis : « Merci de vous soucier de notre esprit. » Et je sortis, après avoir laissé le mot sur la table.

Le lendemain matin, au réveil, une phrase apparut sous mon front. Elle se formula spontanément de cette manière : soyez bons pour votre esprit. Je me levai, gagnai ma table de travail et, d'un seul jet, j'écrivis ces mots :

Soyez bons pour votre esprit.

Rendez-lui un peu de ce qu'il vous prodigue à chaque seconde de votre vie.

Il vous procure les rêves, les pensées, les souvenirs que vous croyiez perdus. Il vous accorde la légèreté du vol intérieur, il vous met sur des pistes inouïes, il vous offre l'image de votre amour, la jouissance quotidienne de la lumière, la compréhension même involontaire de ce qui arrive. Il est le lieu où vos morts, par vous restés vivants, écoutent. Sur les pentes du mont Harmonieux il vous appelle.

Soyez bons pour votre esprit.

Par le silence, permettez-lui de voguer.

Par l'étude, faites qu'il s'élève.

Par le chant, donnez-lui l'allégresse.

Par la conversation, l'étincelle qui allume.

Impossible ? Alors, un peu de poésie, de temps à autre, vous sera bénéfique. Votre peau, votre sang, vos fibres en seront réjouis, mais par la poésie, c'est surtout pour votre esprit, en fin de compte, que vous serez bons.

La crique de la petite porteuse de mémoire

Le propriétaire du magasin général, au village, me dit tout de go en m'apercevant, ce matin-là : « Il y a des fermiers, pas loin d'ici, vers Argentenay, qui aimeraient vous parler. Ils savent que vous travaillez dans le domaine artistique. Ont trouvé un objet bizarre. Veulent savoir ce que c'est. »

La maison de ces gens se trouvait sur ma route. J'arrêtai. Une femme en salopette rouge vif arrosait ses fleurs devant la véranda.

— Ah, vous êtes le monsieur du bout de l'île, celui qui écrit des livres ! Venez, entrez, mon mari cueille des fraises derrière la maison.

Elle appela. Par la porte arrière entra un homme encore jeune, solide, le cheveu dru sur un front bas. Présentations. Échange de civilités. Mise en confiance réciproque. Puis monsieur Drouin, c'était son nom, sortit de la grande armoire un paquet enroulé dans du papier d'emballage.

— Avez-vous quelques minutes ? On va descendre sur la grève. Vous allez mieux comprendre cette histoire-là.

Le camion tout terrain emprunta l'allée qui séparait en parts égales la grande fraisière, traversa un bois de feuillus qui sentait la fraîcheur humide et s'engagea dans un raidillon à flanc de falaise qui nous mena finalement, au bord du fleuve, dans une jolie petite anse fermée à l'est par une accumulation de grosses roches et à l'ouest par une saulaie. La marée basse dégageait une batture d'herbes longues, mais le fond de l'anse, sur une profondeur de trois mètres, était d'un beau sable gris, ce qui est rare dans cette partie de l'île, surtout marécageuse.

— Elle a un nom, cette crique ?

— Un nom ? Nous autres on dit : la grève. Bon. À c'te heure, regardez bien ça.

L'homme défit lentement le petit paquet et laissa tomber à ses pieds un objet noir qui s'enfonça à demi dans le sable.

— Les enfants sont venus ici pour faire un feu hier soir. Ils ont déterré c'te drôle de petite bonne femme.

— Avez-vous idée de ce que ça peut être ? demanda la femme.

Je me penchai pour prendre l'objet dans ma main. Assis dans le sable, je le considérai sous tous ses angles. C'était une petite merveille d'art, une statuette de céramique noire, mate au toucher sur certaines de ses parties, façonnée avec une glaise proche des sables volcaniques. Elle représentait un personnage énigmatique, une femme sans âge ployant sous une masse de vêtements enchevêtrés ; posture qui, jointe au visage dessiné à gros traits, donnait une impression de douloureuse lassitude. L'ensemble évoquait l'éternel voyageur, pèlerin ou déraciné, qui transporte tout son bien avec lui, non seulement son unique richesse, mais aussi son mystère, son destin, sa mémoire.

— Est-ce que c'est vieux ? me demanda la fermière.

— Vous aurez du mal à me croire. Cette petite œuvre d'art pourrait avoir été créée par des artistes à l'aube de l'humanité, mais je suis obligé de vous dire qu'elle est récente, très récente même.

— Est-ce que ça vaut cher ? s'enquit l'homme.

— Pour moi, cet objet n'a pas de prix. Je vous conseille de le garder. Pourquoi n'en feriez-vous pas un porte-bonheur ?

— Comment savez-vous que c'est pas une antiquité ?

— Parce que je connais l'histoire de cette petite statue.

Le couple me regarda avec une déception qui fit place à la surprise. Tous les deux s'assirent sur le sable près de moi et écoutèrent l'histoire que j'avais à leur raconter.

L'artiste qui a sculpté ce petit personnage est encore vivant. Il est même plus actif que jamais et sa notoriété est bien établie. Appelons-le René. Cet homme-là est venu au monde au bord du fleuve, près de Montréal. Dès son enfance, le Saint-Laurent l'a fasciné, l'a influencé, en nourrissant son imaginaire. Mais un jour d'avril, alors qu'il avait douze ans, il a vu, de ses yeux, son père et son frère aîné disparaître sous la glace pourrie, juste en face de la maison natale. Ces morts tragiques l'ont marqué à jamais, bien que très vite il ait comme oublié l'événement, le reléguant dans l'obscurité très profonde de sa mémoire.

À l'âge de dix-huit ans, comme tous ses frères et sœurs l'avaient fait avant lui, il sentit le besoin de quitter les abords du fleuve. Il partit pour la métropole, puis pour Mexico, où il fit son apprentissage de graveur et où il exerça son art pendant de nombreuses années. C'est là, dans cette ville où la densité humaine est si palpable, qu'il imagina de créer une œuvre monumentale, un grand chemin en mouvement, une longue allée noire — le fleuve de tous les fleuves du monde — sur laquelle il a déposé vingt mille petites sculptures comme celle-ci, la plupart représentant des personnages, et pour le reste, des arbres et des végétaux divers. Avec cette œuvre intitulée *Migrations,* il se proposait d'évoquer la grande caravane humaine qui, depuis les origines, est lancée sur les pistes de la migration perpétuelle. C'est ainsi qu'il a retrouvé le destin de chaque peuple, le nôtre y compris, mais aussi le chemin de sa propre mémoire, l'histoire oubliée de son enfance. Cette œuvre gigantesque a été présentée, il y a quelques années, à Mexico et à Québec. Puis l'an dernier, un jour de mai, l'artiste a retenu les services d'un batelier, il est monté dans l'embarcation (chose qu'il n'avait plus faite depuis son enfance), il y a chargé dix-neuf mille statuettes comme celle-ci et, en plusieurs lieux du Saint-Laurent, entre Montréal et Charlevoix, il a largué ses œuvres au fond du fleuve. Pourquoi s'est-il arrêté sur cette petite plage où nous nous trouvons, je l'ignore, mais je sais que ses ancêtres paternels se sont établis tout près d'ici, dans l'île, il y a trois cents ans.

Évidemment cette histoire a fait couler beaucoup d'encre. Comment un artiste peut-il se dessaisir de dizaines de

milliers d'œuvres qui ont exigé de lui des années de travail ?
Je n'y vois qu'une raison et, je vous préviens, elle n'est pas
facile à comprendre et à accepter. C'est la volonté d'accomplir un acte de réconciliation. Réconciliation avec son passé,
sa famille, sa mémoire personnelle et aussi avec la mémoire
de la collectivité. Oui, bien sûr, ce geste de l'artiste a quelque
chose de vaste, de généreux, d'absolu. Mais il me plaît assez,
à moi, de penser que le fond de notre fleuve n'est plus — à
l'image des lointains sombres de toute mémoire — un fond
obscur qui passe avec le courant, ne retenant que des car-
casses, des épaves, des sédiments parfois douteux. Doréna-
vant des œuvres d'art éclairent le lit invisible du fleuve.
Comme ces magnifiques peintures d'animaux, œuvres da-
tant de dix mille ans, qui ornent les parois de cavernes encore vierges et qui peut-être, dans le secret de la terre, continueront de produire leur lumière jusqu'à la fin des temps.

MITAN

C ette île-là, je ne crois pas qu'il s'est trouvé au monde d'autres lieux à pouvoir m'offrir autant d'imprévus.

Je porterai toujours dans ma mémoire un jour d'arrière-saison, il y a deux ou trois ans. Comment aurais-je su que ce jour allait me combler à ce point ? C'était pourtant un samedi matin un peu aplati, un peu couché, comme le sont tous les samedis pour les écouteurs de silence, rétifs aux loisirs de convenance. Pour me sortir de la ville, j'ai filé en voiture sur l'autoroute Montmorency, j'ai bifurqué sur le pont de l'île. Déjà, sur la rive dorée où s'étend de chaque côté de la route la grande batture aux migrateurs, je me suis senti délivré, presque au bord de l'envol. J'ai traversé l'île par la route des Prêtres, j'ai retrouvé le chenal du Sud en glissant vers le village de Saint-Laurent, j'ai continué vers l'est. Premier arrêt : Saint-Jean. De ce côté-là, pas de battures, pas d'étendues marécageuses entre les prés et l'eau, peu de saules et d'aulnes, mais des grèves de schistes et de sable brut, des galets, des crans de gneiss tortillés et chavirés par d'anciens soubresauts de l'écorce terrestre au moment où les glaciers creusaient le lit du Saint-Laurent. Sur la grève : promenade lente, tout ouverte aux évolutions des bécasseaux, aux vociférations des goélands et surtout à la vraie senteur du fleuve, cette odeur unique, mélange de vase durcie, d'argile frottée de pétrole et d'huile de poisson, de pourriture verte déposée en couches millénaires, d'émanations troubles, de coquillages et de joncs gorgés de vieux sel.

Vers midi, j'ai repris la voiture et, dépassant le village, me suis engagé sur la route du Mitan qui conduit vers l'intérieur de l'île. La route du Mitan ! Mille et deux fois j'ai fait ce trajet. Mille et deux fois j'y ai connu une aventure… pour autant qu'on ne dédaigne pas voir le mot désigner, par exemple, une coulée de feu clair dans un ciel incertain, le passage d'un épervier à la poursuite d'un moqueur ou le concert, dans un ravin forestier, de l'émouvante grive solitaire.

En plein milieu de la route du Mitan, il arrive ceci de très étrange que tout à coup on ne sait plus où l'on se trouve. Cette impression tient à l'absence des repères habituels qui impriment son caractère à l'île : les maisons, les dépendances, les fermes orientées nord-sud, la vue de l'eau, la présence au loin des Laurentides, de la ville de Québec ou de la côte du Sud avec son tranquille horizon d'Appalaches. Ici un étroit chemin ondule entre des bois sombres, puis débouche soudain sur une plaine doucement vallonnée où l'on ne voit nulle habitation, nul dessin cadastré, que peu d'arbres. Seulement des champs de couleur variable, comme soulevés par ces collines écumeuses qui entourent le navire

au centre de la haute mer. Au nord-est, cette plaine remonte lentement vers la lisière d'un bois qui se fond là-bas avec la verdure du cap Tourmente et du mont Sainte-Anne.

La route devant moi va bifurquer à un ponceau enjambant un ruisseau. Autour du petit pont, je devine de loin une drôle d'animation : une bourrasque d'oiseaux, un ballet, une folie. Il en vient de partout, ils se couchent au beau milieu du chemin, s'ébrouent dans la poussière de l'accotement, se posent sur les piquets pour prendre l'instant d'après leur essor, montent, s'immobilisent en plein ciel, filent comme des flèches au ras des prés. Dans ma lorgnette, je reconnais à leur grosse tête garnie de rouflaquettes un groupe d'une vingtaine de crécerelles, ces petits faucons bleu et orangé, amateurs de mulots et de gros insectes : des rapaces en migration. Pendant de longues minutes j'observe leur manège puis, comme elles prennent toutes ensemble la direction d'un bois, vers l'ouest, saisi par l'excitation je décide de les suivre. La voiture camouflée dans un « trou de verdure », je traverse l'érablière par un chemin raboteux, longe une cabane à sucre aux fenêtres placardées, et aboutis dans un champ de blé fraîchement récolté, un champ tout jaune, arrosé de soleil franc. C'est un champ étroit mais long, encastré entre deux bois, qui descend en pente douce vers le village de Sainte-Famille, avec une vue entière sur le fleuve et, par-delà, sur la Côte de Beaupré, cette merveille du paysage laurentien qui, dans un rythme lent, amène le damier des prés et des bois dans la plus paisible progression vers les sommets.

Beauté de la paille dorée. Versement solaire sur les sillons. Les insectes de septembre craquent, rampent, volettent. De minuscules papillons blancs ou jaunes flottent sur tout cela et composent à leur manière le grand silence qui me traverse. M'envahit alors un tel bien-être que je ne peux retenir mes mots :

— Mais qu'est-ce qui est en train de m'arriver ?

La voix connue me murmure aussitôt au fond de l'oreille :

— Ça, mon vieux, c'est ce qu'il convient d'appeler le bonheur !

— Le bonheur ?

— Une sorte de bonheur, oui. Et il sera encore plus complet quand tu te seras étendu sur ta veste, à même le sol, au milieu des pailles et des tiges non coupées.

Je m'exécute. Étrangement, ce n'est pas le ciel que je reconnais au-dessus de moi ; le fleuve coule dans les hauteurs. Qu'est-ce qui l'a fait monter ainsi ? Quelques oiseaux posés sur le vent sans doute, les sillages d'ouate des avions qui suivent, pour pénétrer en Amérique, le couloir aérien du Saint-Laurent, les nuages qui à l'infini se muent en navires, en voiles, en bancs de sable. Et mieux encore, les bruits maritimes du chenal du Nord, la senteur humide de l'air, le petit vent saumâtre en provenance de l'estuaire.

Je suis donc étendu de tout mon long, le corps pacifié, sur le sol tiède. Mes idées tout à coup deviennent un torrent si limpide que je vois d'une seule coulée tout mon passé récent avec, pour point de départ, cette année noire, l'année de ma presque mort. Je me suis mis à penser à ce vent dur qui avait démoli ma santé et qui avait failli tout arracher.

Le vent, c'est aussi tous les vents de la vie jeune, quand on a vingt ans. Au loin, très loin devant soi, le vent de solitude siffle sur les collines, on ne veut pas vraiment entendre sa rumeur. On est plus sensible aux bons vents d'odeur qui nous apportent des nouvelles réjouissantes de tous les autres mondes, on est poussé dans le dos, on hésite, on manque de confiance en soi, mais on est curieux, on crâne, on est traversé par de longs soupirs, par de fortes poussées d'amour, on veut posséder des corps, on veut posséder des connaissances fermes, indestructibles ; on veut tout faire ; on est porté par la rose des vents, la seule rose qui nous intéresse vraiment. On se sent appelé. On se sent choisi. Comme c'est vaste une vie, on a tout le temps, on va monter toutes les bêtes, on va les éperonner, les conduire où bon nous semble.

Ah, respirer ! Mais au fond on ne respire pas, ce qui s'appelle res-pi-rer. On force le souffle, on inspire, on bat des naseaux, on avale, on ne respire pas. Posséder oui, posséder des personnes, des biens, des certitudes. Tant pis si ce sont des mirages. C'est paraître qu'il faut, être le meilleur, la meilleure, combler au plus tôt cette béance qu'on sent sous ses pas et qui agite parfois les rêves de la nuit. S'habiller, oui, se couvrir de dessins à la mode, d'uniformes, de consolations, s'habiller car le vent souffle encore et toujours au loin, on l'entend du reste de plus en plus souvent, cette étrange brise, car c'est la trentaine maintenant dans sa vie, on frôle des précipices, on avance sur des chemins de crête, on cherche un air qui grise, qui fouette, qui enivre. Et l'orage parfois commence à gronder derrière la montagne.

On force, oui, on force. On force sa monture, on force son corps, on déborde d'énergie, on accumule, on jette, on dilapide sa santé, ses idées, ses capacités. On s'occupe beaucoup de soi en croyant travailler pour les autres. Tout faire. Tout avoir. Pour cela on va même jusqu'à se mentir un peu, à voir dans son miroir un individu plaisant, conforme. Qu'est-ce qui gronde ainsi ? Ah oui, la voiture qui attend en bas, dans l'allée menant au garage. On saute, on court, on se donne à toutes les machines.

Cela vrombit, chauffe, grignote, cela fait du bruit, c'est bon, ce bruit, cette allure endiablée ! Cela nous donne à croire que la terre est sans limites, que le temps est très étendu devant soi. Il n'est que midi moins dix. Tant à faire. Tant de choses à penser, à dévorer, à organiser, à thésauriser. Trente ans. Quelle merveille ! Quelle tension enivrante dans les poignets. Voyez l'élégant oiseau de proie, les serres pressant le gant du fauconnier, qui darde ses yeux d'or sur tout ce qui bouge. Mais s'approche l'orage.

À certains moments tout à coup, c'est très sombre, on ne sait pas toujours bien pourquoi, on se sent un peu à l'étroit dans son costume, on se sent gêné dans son masque, un peu gauche au sortir de ses rêves, on sent une fissure faire son œuvre quelque part, on entend une fracture qui lézarde le solage. Cela ressemble à un grondement des forces vives, à des secousses dans le plus mou de soi-même. Mais pourquoi s'arrêter à ces balivernes ? Il ne faut surtout pas ralentir l'allure, c'est mal vu par l'entourage, c'est important l'entourage, j'aurais l'air de quoi à la fin !

L'orage. Quel orage ?

Et en plein midi, le ciel flamboie, la foudre claque. Il est midi en effet. On est arrivé au midi de sa vie, en marquant un léger temps d'arrêt, un temps de réflexion un peu amère à chaque anniversaire, mais on tient le pas. On voit défiler les semaines, tiens, c'est nouveau, cela, on voit alterner jours de soleil et jours de brume, on n'avait pas prévu ce cuisant orage, cette tornade qui ébranle les fondements. Pour certains, c'est un accident brutal, un sournois caillot, une maladie implacable. C'est, pour d'autres, une rupture, un abandon, un deuil. J'en ai même connu qui ont été frappés d'un éblouissement à la suite d'une lecture, d'une rencontre, d'une parole, d'un succès inespéré. L'apparition des premières rides, une altération du désir sont souvent porteuses de chocs. On en rencontre, dit-on, qui sont épargnés par les bouleversements soudains ; ils peuvent conduire leur vie sans trop de cassures, ils auraient acquis très jeunes (à quel prix ?) cette prudence naturelle qui en fait d'heureux conducteurs de leur propre existence. Mais chez la plupart le tonnerre éclate un jour ou l'autre, la foudre secoue l'édifice. On reste dans l'hébétude, on ne sait trop ce qui est en train d'arriver.

J'ai connu cela : l'orage, la foudre, la tempête de sang, l'affaissement, l'arrivée au seuil de la fin. Étrangement j'avais mis beaucoup d'espoir dans cette année de mon âge qui pour la seule fois de ma vie porterait les mêmes chiffres que l'année de ma naissance. Je ne m'attarderai pas sur les détails. Je vous dirai seulement que, durant plus d'un an, j'ai eu ma part des fortes médecines.

La musique. À l'aube de la quarantaine, la musique a été pour moi un soleil, une accalmie peuplée, le ruisseau qui tinte sous la glace, qui irrigue en secret, qui prépare par le fond la venue du printemps. La musique se versait dans mon corps, elle me portait, me rafraîchissait, me nourrissait. Elle me parlait aussi. Au début, je ne comprenais pas toujours le sens de son langage, mais j'écoutais. Souvent je fuyais mon travail, j'abrégeais des rencontres, des visites, des sommeils, j'allais choisir un disque, je m'étendais et me laissais pénétrer. Une note aiguë du violon solo perçait la veine de mon bras, puis le violoncelle venait répandre son baume de velours et de gravité. Le piano, de phrase en phrase, de chant en chant, m'entraînait vers des paysages familiers. D'une manière ou d'une autre, l'œuvre choisie me conduisait toujours au bord du fleuve. Les vagues me lavaient, le flux m'élargissait, chaque mesure de l'orchestre me découvrait des anses, des plages, des baies inouïes. Un arpège était un clapotis devant la pince du canot. Une simple clarinette convoquait le chant de tous mes chers oiseaux. Les trios, les quatuors surtout, devenaient des entretiens sous les arbres ou sur les terrasses surmontées par les vastes ciels.

Quand la foudre m'a plaqué les épaules contre le sol, quand j'ai dû me soumettre à l'humiliation de cette convalescence, je me suis abandonné à la musique. Comme un malade sous perfusion, j'étais connecté à la musique, alimenté goutte à goutte par elle.

Toute cette aventure avait commencé, quelques années plus tôt, par l'audition (l'écoute, devrais-je dire) des œuvres de Franz Schubert. Pourquoi Schubert ? Sa musique m'entretenait d'énergie sans cesse portée au chant, elle me parlait de cette gravité qui vient avec la quête d'un bonheur en cette vie, et du lien d'harmonie qui circule à travers toute chose. Le pas du voyageur, audible dans presque toutes ses grandes pièces, c'est dans ma poitrine qu'il résonnait, confondu avec les battements vitaux. L'adagio du *Quintette en ut majeur, pour deux violons, alto et deux violoncelles,* m'en a appris sur la vie et sur l'esprit du grand fleuve presque autant que les livres et les voyages.

Au fait, est-ce seulement la musique qui s'adressait à moi ? Souvent, quand j'étais étendu et que le disque tournait, une voix venait dans ma tête :

Tu es le voyageur. Tu as traversé des champs, des monts, des vallées, des torrents, tu as longé des fleuves. Tu arrives à une lisière. Tu débouches soudain sur une plaine d'herbe rase. L'espace est nu devant toi, tu es seul, merveilleusement seul au centre de cette vaste clairière. Accepte de marcher avec lenteur sous le soleil de midi, accepte ce long moment de réflexion. Regarde au loin. Sur la ligne d'horizon, on aperçoit des collines, d'autres verdures. D'autres chemins exaltants commencent là-bas, la bonne vie active va te reprendre pour des années, pour des décennies peut-être. Considère un peu ce morceau de pure sagesse : pense avant d'agir et une fois que tu as fait, pense. Une création qui ne se termine pas sur une pensée, c'est du frétillement sur de l'ombre. Une pensée qui ne prépare pas à la création est un puits où l'on tombe sans fin. Il est midi, l'heure où se réunissent le matin, temps de la pensée, et le milieu du jour, moment idéal pour l'action. Tu es le voyageur qui s'arrête pour consulter sa boussole, revoir ses cartes, évaluer ce qui est accompli et ce qui reste à parcourir. Évalue, prends la valeur du matin et du midi.

La voix intérieure me disait : tu dois tendre vers le bonheur. C'est une nécessité vitale, presque une obligation venue de ton destin. Tu dois être heureux et pas seulement faire semblant que tu l'es, comme il arrive si souvent dans les premiers cycles de l'âge adulte. N'attends pas les niagaras, les dons fabuleux, les bouts du monde, les êtres à peine réels dispensant des amours sans fin.

Dépouille-toi. Lave-toi de ces idées toutes faites, de ces jugements pervers qui circulent autour de toi et qui émanent des systèmes de la négation et de la pesanteur. Allège-toi. Pendant des années tu as laissé pénétrer dans ton cerveau des opinions dont tu n'as que faire désormais. Rien n'est vrai pour toi que ce qui naît de toi. Dépouille-toi, oublie même les beaux préceptes, si lumineux soient-ils. Pour un temps, ils nous accompagnent sur le sentier, mais vient vite l'heure où il faut aller selon son allure. Réforme-toi toi-même. Tu traverses en ce moment une plaine d'herbe rase et tu es seul.

N'attends rien des pouvoirs, n'attends rien des sociétés, n'attends rien de tout ce qui prône ou rallie. Réforme-toi. L'espace qui s'étend devant toi est nu, sans arbre, sans beauté, sans mirage. Solitude. Là-bas, à l'autre lisière, au bout de cette plaine d'herbe rase brûlée de soleil, tu trouveras de nouveau les travaux, les échanges, la chaleur de l'affection, le grand accomplissement de l'invention. Mais pour le moment, marche. Écoute. Quelque chose de très élémentaire a commencé de chanter au fond. C'est une rumeur, à peine un chant. C'est un commencement. Je te dis simplement : sois. Sois cet être humain qui se nomme toi-même. C'est-à-dire : nais, grandis, aime, colle-toi à la nature, pense, agis, parle, écoute, accueille, regarde, goûte, observe, étends-toi de tout ton long dans ta propre vie, accueille encore.

Est-ce à dire qu'ainsi tu deviendras un peu sage ? Et pourquoi pas, si la sagesse est vraie jeunesse, fraîcheur de clairvoyance, expérience muée en pensée, acceptation calme des contradictions de l'existence, si la sagesse est la danse du goût et le goût de la danse. Devenir sage n'est pas vieillir. Vieillesse n'est pas sagesse. C'est couler qu'il faut, laisser couler le temps au plus profond de soi, couler dans la lumière de chaque instant qui nous est donné. Rester jeune comme la pierre. Rester jeune comme l'arbre qui, plein de racines, pousse, se défeuille, se renfeuille, fleurit et donne ses fruits au meilleur de la saison. Construire, chanter et passer comme l'oiseau, cela est rester jeune. Et se laisser couler vers le grand fleuve, puis avec lui couler : voilà le contraire de vieillir. Les fleuves ne vieillissent pas.

SOULIER

Est-ce la proximité du fleuve, le vaste chemin toujours en mouvement, qui avait influencé mon esprit ? Toutes ces années de fréquentation des berges, ces pérégrinations le long des rives, ces longues ou brèves contemplations, est-ce que tout cela ne s'est pas en quelque sorte sédimenté au fond de mon être, donnant à mes pensées leur couleur et leur allure ?

Ce matin-là, au sortir de la nuit, je me trouvais dans cette région ineffable où le sommeil monte peu à peu vers l'éveil. La voix intérieure est venue, qui m'a murmuré : et si je te demandais, comme ça, à brûle-pourpoint, comment tu te vois, toi, comment tu es quand tu penses à toi ? J'ai répondu sans même réfléchir : je me vois en homme qui marche. Je me vois dans une rue de mon quartier. Je marche et je pense, puisque ces deux activités sont mêlées comme deux corps aimants. Le plaisir de l'un ne va pas sans le bonheur de l'autre.

Je pense à tout ce que nous avons, à ce qui nous fait du

bien, à ce qui dans la vie courante offre vraiment de l'intérêt. Il y a ce qui est nécessaire à la santé du corps : une alimentation équilibrée, un minimum d'hygiène, des vêtements adaptés aux saisons, de la tendresse, un logis agréable, qui laisse entrer la bonne lumière. Je pense à ce qui donne de l'aise à l'âme : de la confiance, des projets d'avenir, un travail excitant, l'accord avec soi-même. Je pense à ce qui fait plaisir à l'imagination : des livres, de la fantaisie, de la poésie, de la musique, des images qui parlent.

Il y a le nécessaire, mais aussi ce que nous appelons le superflu et qui au fond a beaucoup d'importance, comme les menus objets rapportés de voyage, les coquillages ramassés sur la plage, une photo jaunie, la collection de petits canifs à une lame et toutes ces choses qu'on déclare inutiles : un animal domestique, la douceur d'avoir un arbre ou deux, un morceau d'horizon devant sa fenêtre.

Bien sûr, tout cela a de l'importance, comme le verre d'eau pure, la *Flore laurentienne,* l'arrosoir du jardin, le jeu de cartes, la liasse de lettres bleues au fond du tiroir, la plume au bec d'or, le téléphone.

Je marche et je me dis : qui oserait nier l'intérêt de tout cela ? Il doit sûrement exister des choses plus conséquentes, plus indispensables encore ? Et je me souviens tout à coup de cette phrase entendue de je ne sais plus quelle bouche : « Dans la vie, il y a deux choses vraiment utiles : un bon lit et une bonne paire de chaussures. Parce que quand on n'est pas dans l'un, on est dans l'autre. » Qui osera contester la pertinence de cette remarque ? Sûrement pas moi. Pas un marcheur. Oh, j'ai connu des va-nu-pieds qui auraient relevé le sourcil devant cette vérité.

Il y a quelques années, je résidais dans une île des Antilles. J'avais, un jour, engagé un guide pour me conduire à une chute spectaculaire, perdue à deux ou trois kilomètres au fond de la forêt tropicale. Il fallait suivre un sentier caillouteux, fouler épines et chardons, escalader des rochers, traverser en plusieurs endroits une rivière à gué, reprendre le sentier brûlant, longer des précipices, descendre des escarpements arides, arpenter sur une longue distance le lit asséché d'un ruisseau. Mon guide allait pieds nus, et je vous avoue que je souffrais le martyre de le voir battre la marche devant moi. Puis j'ai compris qu'il était parfaitement à son aise. Ses souliers, il les avait façonnés lui-même. Une soixantaine d'années de marche avaient formé sous ses larges pieds une succession de couches cornées constituant une semelle épaisse et souple. Qu'il faille dans la vie une bonne paire de chaussures, je ne doute pas qu'il eût été le premier à le confirmer. Mais il n'est pas donné à tout le monde de sécréter ses propres semelles, comme le cerf produit ses bois, le cheval ses sabots. En regardant avancer le vieux guide antillais, je me suis souvenu d'avoir lu jadis une histoire sur l'invention de la première sandale, une invention aussi capitale que la maîtrise du feu et que l'invention de la roue. Devant le désert torride, devant la plaine brûlante à traverser, un homme, un jour, assis sur le seuil de sa grotte ou de sa hutte, se mit à rêver à la possibilité de recouvrir tout cet espace d'une grande surface de cuir ou de laine. Ah, marcher enfin sans s'écorcher les pieds !… Puis il s'est trouvé une personne plus futée, sa femme sans doute, pour lui dire : « Pas long tapis cuir. Petit tapis cuir et autre petit tapis cuir, là, sous les pieds. » La première sandale était née. Après des millénaires de cordonnerie, la chaussure s'est raffinée. On trouve aujourd'hui des souliers solides qui deviennent à l'usage si souples, si seyants, si merveilleusement ajustés que la seule perspective de nous en séparer nous déchire. L'écrivain André Gide (grand marcheur, à une certaine époque de sa vie) raconte qu'il a connu un individu que la seule pensée de devoir remplacer de temps à autre ses souliers plongeait dans une épaisse mélancolie. Non pas par avarice. Cet homme ressentait tout simplement une véritable détresse à ne pouvoir s'appuyer sur rien de durable, de définitif, d'absolu. Le soulier, c'est le point de contact que nous avons en permanence (ou presque) avec le sol, avec la terre, avec le monde. C'est le signe de la maîtrise que nous cherchons sans cesse à avoir sur le réel. À ce point qu'il existe en certaine région du monde une bienséance qui oblige un étranger à enlever ses chaussures quand il entre chez vous, pour indiquer qu'il n'a aucun droit de propriété sur le sol de votre demeure.

C'est important, une paire de chaussures. Elle symbolise l'accord harmonieux entre deux êtres. Encore aujourd'hui, dans le Nord de la Chine, une coutume veut qu'on offre une paire de souliers en cadeau de mariage, puisqu'un même mot, dans la langue du pays, sert à désigner soulier et entente réciproque. Et j'irai même jusqu'à dire que le soulier, c'est en quelque sorte un rappel, une représentation de sa propre identité. Croyez-en l'arrière-petit-fils d'un cordonnier, lui-même fils d'un artisan du cuir. Ils vivaient là-bas, à Port-Joli, sur la rive sud du grand fleuve.

Pendant mes promenades, il m'arrive souvent de penser à tous ceux qui marchent par nécessité, par profession, à ceux qui gagnent leur vie en marchant : les prospecteurs, les trappeurs, les savants menant des recherches sur le terrain, les poètes qui, les deux pieds sur terre, traquent la fine merveille cachée. Autrefois, dans les forêts du Canada, circulait celui qu'on appelait *le Grand Walker.* Les anciens bûcherons se souviennent sûrement du Grand Walker, l'homme que les compagnies forestières engageaient pour parcourir les concessions. Pendant des mois, en été et en automne surtout, il marchait, marchait, évaluait les espèces d'arbres, leur maturité, leur concentration, la quantité de troncs à abattre l'hiver suivant. N'y a-t-il pas un peu du Grand Walker chez le promeneur impénitent ?

Je pense aussi à une catégorie de marcheurs qui ont encore leur importance dans notre vie quotidienne. Les facteurs. J'ai beaucoup d'estime pour les facteurs de la poste. On les appelait jadis *les facteurs de lettres.* Ne trouve-t-on pas qu'ils apportent une couleur poétique dans certaines rues toujours désertes de la banlieue américaine ? Le facteur est celui dont on attend la venue chaque jour de la semaine. Des visages, derrière les rideaux, surveillent son apparition au coin de la rue. Dans sa musette, il transporte de bien prosaïques envois, mais aussi parfois des chèques, des lettres d'amour et qui sait ?, la nouvelle qui bouleversera un destin... Se peut-il qu'un jour nos villes soient désertées de leurs facteurs ? Oui, cela se peut et je ne le souhaite pas. C'est le travailleur qui dans son corps évoque la distance du monde. Quand j'en vois un, je me dis : lorsque cette personne aura cessé ses activités, combien de milliers de kilomètres aura-t-elle parcourus au cours de sa vie ? Et je vois devant moi apparaître une route qui s'allonge, qui de quartier en quartier traverse les villes, passe à travers les champs, longe les fleuves, saute par-dessus les mers, rejoint un autre monde et, au bout de ce monde, un autre monde sans fin.

Au bout du monde, tiens, serait l'endroit idéal où construire le musée de la Marche. On y exposerait chaussures, sandales, escarpins, galoches, et des objets utiles à la promenade : bâtons, havresacs, gourdes, boussoles. Seraient exposés les souliers des marcheurs célèbres, mais aussi les chaussures de ces égarés de la forêt ou du désert qui ont marché durant des semaines pour trouver le salut, sans toujours l'atteindre, il est vrai. On y verrait, en bonne place évidemment, les mocassins et les raquettes du grand marcheur du territoire, Montagnais ou Naskapi. J'en connais qui ont parcouru à pied, dans leur enfance, avec leur famille, en plein hiver, aller-retour, la distance séparant Sept-Îles de Fort-Chimo, soit un bon millier de kilomètres.

Dans ce musée on verrait ces souliers qui nous rappellent qu'« au paradis, c'est pas la place pour les souliers vernis ». Ils voisineraient avec les bottines lacées du frère Marie-Victorin, le botaniste voyageur, bottines noires un peu verdies par les mousses et les lichens.

Voici les bottes de Jean-Jacques Rousseau, un des premiers écrivains à avoir célébré les vertus de la marche. Une inscription donnerait à lire cette phrase : « Jamais je n'ai tant pensé, tant existé, tant vécu, tant été moi, si j'ose dire, que dans les voyages que j'ai faits seul et à pied. » Et là se trouvent les bottillons d'Edgar Allan Poe qui parcourait régulièrement la route qui relie Baltimore à Washington.

Dans la même salle des poètes (où bien sûr seraient présents les Fargue, les Arland, les Thoreau), on verrait la musette et les gros souliers bruts d'Arthur Rimbaud, l'homme aux semelles de vent, qui circulait à travers les Ardennes et qui pouvait marcher pendant huit jours entre Charleville (France) et Charleroi (Wallonie).

Pourquoi toutes ces chaussures d'écrivains ? Parce que certains ont même rêvé d'écrire avec leur pied ! Comme Friedrich Nietzsche, marcheur décidé, qui déclara :

Je n'écris pas qu'avec la main ;
Mon pied veut toujours être aussi de la partie.
Il tient son rôle bravement, libre et solide,
Tantôt à travers champs, tantôt sur le papier.

Une salle du Musée de la Marche serait consacrée aux grands musiciens marcheurs. Brahms assurément, et aussi Beethoven qui chaque jour de sa vie traversa Vienne à pied pour aller se perdre dans les bois environnants avec, dans sa poche, son petit carnet à musique. C'est au cours d'une promenade dans la campagne qu'il trouva la plupart des thèmes de la *Symphonie pastorale.*

Le marcheur n'attend pas d'être au bout du monde pour trouver son contentement. La meilleure piste commence sur le pas même de sa porte. L'univers est là, tout entier : l'espace où se mettre en mouvement, où déployer son corps, où ressentir la première de toutes les sensations primordiales, celle d'exister dans un volume d'air infini. Partout, sur toutes les routes, dans toutes les rues de n'importe quelle ville, faubourg ou village, tout nous invite à exercer nos sens, à éprouver la joie d'entendre le petit phénomène rare, inédit, ce léger morceau de hasard et cette approche de jamais vu qui peuvent embraser toute une journée.

Il y a des promeneurs de nature, des promeneurs de campagne, des promeneurs de rives, des promeneurs de rues. Je suis, en ce qui me concerne, un bon promeneur de champs, mais je n'échangerais pour rien ma promenade quotidienne dans les rues de ma ville. Non pas parce que c'est ma ville. Toute autre cité a de quoi me combler. Quand j'arrive dans une ville étrangère (ce qui est peu fréquent, je l'avoue : marcher n'est pas voyager), je prends possession de ma chambre d'hôtel, j'enfile mes souliers à semelles souples et épaisses et, le plus tôt possible, je me retrouve sur le trottoir de la rue animée.

Ne dépliez pas tout de suite le plan de la ville. Il faut savoir se perdre. Suivez le conseil du poète : « Pour aller loin : ne jamais demander son chemin à qui ne sait pas s'égarer. » Dans une ville, s'égarer n'est jamais dramatique. C'est même tout un art. Un art qui se perd… Prenez pied sur le trottoir qui vous semble le plus large, le plus vivant. Levez le nez pour détecter d'où viennent les odeurs de nourriture ; là est la saveur de l'humanité. Quelles merveilles que ces trottoirs spacieux, signes et preuves de la vie civilisée, ces trottoirs où débordent, d'éventaire en étalage, les marchandises des boutiques, ces trottoirs conquis par les tables des cafés, ces trottoirs où l'on se sent tout à la fois comme dans un sentier ou comme sur une longue route.

Il est grand le plaisir de flâner pendant des heures, le soir, devant des vitrines éclairées. Le monde entier s'y résume, le travail de milliers d'artisans, les richesses de l'invention humaine, de l'ingéniosité, de la fantaisie. Et le rêve toujours y trouve son compte.

J'aime les villes ouvertes sur l'immensité, comme San Francisco, Vancouver, Québec, celles où certaines rues soudain vous plongent dans une perspective lointaine. Vous gravissez une rue en pente, vous atteignez le sommet de la côte et là-bas, au bout, la vue sur l'estuaire, sur la mer, sur l'espace ouvert. D'où vient ce plaisir qui vous allège, sinon de cette impression qu'à l'autre bout de l'eau une autre ville commence où les rues mystérieusement s'engagent dans des dédales d'où l'on émerge pour déboucher sur une autre immensité.

Ces rues où les maisons bordent directement les trottoirs, je les recherche. Un coup d'œil furtif, à peine indiscret, dans une fenêtre nous dévoile un petit pan de vie imprévu, un chat étendu à travers les plantes vertes et qui ralentit le temps, une personne en train d'écrire sous une lampe blonde, une autre qui tresse les longs cheveux d'une fillette et, les yeux tournés vers la croisée, vous aperçoit soudain. Quelle jouissance aussi d'ouvrir ses oreilles et de percevoir des bouts de conversation très graves qui filtrent d'une porte entrouverte, un rire fusant du fond d'un café, un méli-mélo de cris d'enfants qui jouent dans une cour dérobée, le chant d'un oiseau solitaire perché sur un lampadaire. Et que dire de la petite musique qui vous est donnée au moment où votre esprit est tout disposé à la recevoir ? Je crois bien que tout promeneur de villes a connu cet agrément inattendu. Vous marchez dans une rue déserte. Il est quatre heures de l'après-midi. L'espace devient subitement transfiguré par un air de violon ou de flûte qui s'envole du cinquième étage où, derrière une fenêtre ouverte, un musicien travaille son instrument. Paris dispense à profusion ces aubaines qui élargissent l'instant.

Quand je pense aux petites musiques offertes ainsi aux promeneurs, je me revois soudain à San Francisco, ville où il est si plaisant de marcher. En sortant ce jour-là de mon hôtel situé près d'Union Square, je me suis laissé tout de suite entraîner par le mouvement de la rue animée qui m'a conduit, de manière toute naturelle, vers la rue Geary, laquelle glisse en pente douce vers la rue Market, un des axes majeurs de la ville. Cette intersection se transforme, dès midi, en microcosme. On y voit des prêcheurs inspirés psalmodier leur message, des adeptes vociférer des pages de la Bible, on y voit des vagabonds, des vendeurs de tout, des promeneurs, la foule remuante de la ville. À travers le brouhaha je percevais par moments des fragments de musique qui prenaient naissance quelque part dans la station du BART. Cette bouche de métro se présente comme un vaste hémicycle de gradins, ouvert sur le ciel comme un théâtre antique. Le spectacle était offert, au palier inférieur, par un drôle d'orchestre un peu bringuebalant composé d'une dizaine de Noirs, tous très âgés. Avec une ferveur émouvante et sur des instruments sans doute vénérables, ils jouaient, devant une foule qui s'épaississait de plus en plus, un morceau de jazz venu de la meilleure époque de la Nouvelle-Orléans. Un ravissement.

Le marcheur pense beaucoup. Sans doute est-ce pour cela d'ailleurs qu'il marche autant : aviver ses idées, délier son corps pour exciter son esprit, l'ouvrir, le mettre littéralement au monde. Oui, le marcheur pense. Et pour cette raison, son comportement inquiète et intrigue, tant il est vrai que la vue d'un marcheur de fond ne laisse jamais indifférent. Pourquoi cet individu consacre-t-il tant d'heures à une activité qui ne rapporte pas ? D'où les quolibets. À Vienne, vers la fin de l'autre siècle, les loustics murmuraient que ce grand marcheur, le musicien Brahms, devait être un peu dérangé… Pas plus tard qu'hier, une personne m'aborde en pleine rue. « Vous êtes toujours dans le chemin. Cherchez-vous quelqu'un ? » J'ai eu envie de répondre : je vais à la rencontre de celui qui se nomme moi-même. Mais ma mémoire me ramenait déjà à une certaine matinée de mars 1980. Je me trouvais dans la même petite île des Antilles. Un matin, à l'aube, muni de ma longue-vue et d'un léger viatique, j'étais parti seul sur l'étroite route qui fait le tour de l'île, en admirant les innombrables Tyrans gris et les crécerelles perchés sur le fil électrique. Je traversais un hameau, un lieu-dit plutôt, constitué d'humbles cabanes peintes en rose et en vert, et je m'emplissais les yeux de toutes ces images que la vie m'offrait. Une femme est sortie d'une masure, elle m'a observé un instant, puis elle s'est avancée vers moi. Avec une grande gentillesse, à voix basse pour qu'on ne l'entende pas sans doute, elle m'a demandé : « Who is you, this mornin' ? » Je ne me souviens plus de ma réponse, mais la formulation de sa question m'avait amusé. Je l'avais spontanément traduite, cette question, par ces mots : « Quelle est cette personne qui est toi, ce matin ? » Et me voilà lancé dans une longue méditation sur les voies les moins évidentes de l'identité humaine.

Je poursuivais mon périple. La route soudain déboucha sur un promontoire qui me donna à voir le paysage tout entier : la moitié de l'île était là, devant moi, avec ses collines frisées de végétation dense, avec ses vallons accueillant les si ondulantes bananeraies, avec ses anses et ses plages. Au pied de la côte, la route se rétrécit brusquement en un sentier qui coulait à travers les mesquites, pour aboutir à une plage déserte.

C'est en suivant le bord de mer que je décidai de revenir à mon point de départ. J'ai toujours éprouvé les plus vives sensations à marcher pieds nus sur une plage ; ainsi ce jour-là j'ai atteint un état proche de l'ivresse. Le sable de cette île volcanique est noir (ce qui décourage les touristes), mais il a la finesse de la farine. Les vagues, en venant faire mousser leur écume sur le bord, créent, en ce lieu de fusion de la mer et du sable, un trottoir mouillé et tiède, d'une fermeté soyeuse, qui est pour la plante des pieds un véritable baume. S'il existe dans une autre réalité un paradis du marcheur — ne dit-on pas : grand marcheur devant l'Éternel ? —, il doit dispenser ce genre de délectations impérissables.

Le soleil dans mon dos prenait de la force, je le sentais picoter ma nuque et je marchais, le pied droit dans les vagues mourantes et le gauche sur la soie humide, en regardant plonger les pélicans et tournoyer là-haut, au-dessus de la falaise, les paille-en-queue, ces longs oiseaux noir et blanc, effilés comme des sternes, dont le corps se fond en une flèche de plumes blanches rappelant la queue de la comète.

Est-il besoin de vous raconter la respiration lente des vagues, le grand pouls bouillonnant de la mer ? Faut-il préciser que là est la béatitude du promeneur de plages. Aucun individu sur cette terre n'est indifférent à cette musique, qui est presque une nourriture. Voilà le début de toute vie, le rappel incessant de nos lointaines origines, des premiers instants de notre existence, avant notre mise au monde. Une fois nés, nous ouvrons les yeux et tant bien que mal, un jour, nous parvenons à nous lever sur nos deux jambes. Dans la peine et le ravissement nous apprenons l'exercice capital : marcher. Et nous voilà lancés dans l'espace de nos propres vies.

FEU

Tu me dis le mot feu. Qu'est-ce que je vois ? Je vois le cap Maillard, en Charlevoix, incendié par les coloris d'automne : les ors cuivrés des bouleaux, les orangés et le pourpre ardent des érables, harmonie de toutes nuances sous-tendue par le vert conciliabule des cèdres, par des assemblées et des files indiennes de grands conifères.

Au pied du cap, c'est le plateau de Petite-Rivière. Et sur la pointe la plus avancée, belvédère naturel offrant l'immensité du fleuve, la petite maison blanche au toit vert où, de temps à autre, il m'est loisible de me retirer depuis la mort de Gabrielle qui a passé ici, pour écrire, les trente derniers étés de sa vie. Quand j'arrive, je relève les stores, salue les mânes de mon amie (qu'est-ce que je vais vous raconter aujourd'hui ?), allume une attisée dans l'étroit poêle en fonte émaillée, téléphone à mes voisins, Albertine, Anna, Noël, pour leur annoncer mon retour. Puis je sors un moment sur la longue galerie couverte pour accueillir en moi ce paysage nourricier : la grande batture de vase grise jonchée de blocs erratiques, les montagnes qui tassent l'hémicycle du village contre le fleuve et qui roulent vers Baie-Saint-Paul, l'île aux Coudres effilée comme une langue, les courants du flux et du reflux et, par temps clair, la vue sur la Côte du Sud, au loin, jusqu'aux architectures rocheuses de Kamouraska.

La solitude est totale et, malgré tout, nombreux sont les visiteurs. Presque tous surviennent du côté du fleuve : les corneilles, les goélands, les hérons, les oies sauvages, les cormorans rasant les vagues aux limites de l'estran.

Aujourd'hui, à la toute fin de l'après-midi, le visiteur est un renard. Je l'aperçois au moment où, assis à ma table, près de l'embrasure, je lève la tête pour chercher un mot. Il vient, le renard, par le bout du terrain, là où un massif de bouleaux et d'épinettes penche vers la falaise qui coule vers le fleuve. M'a-t-il aperçu à travers la grande fenêtre de l'est, lui qui est foncièrement constitué pour flairer toute présence, surtout celles qui fréquentent son territoire ? Je le vois qui s'avance, l'air presque distrait, sur ses fines pattes de velours noir, qui glisse, on dirait, sur un coussin d'air, toujours en mouvement, toujours courant un peu à l'oblique, comme chiens et loups. Il renifle le pied du grand bouleau, il longe la talle buissonnante des églantiers et des pois sauvages, il s'approche, hume un moment, s'arrête brusquement, pointe l'intérieur blanc de ses oreilles sombres vers une touffe d'herbes, ramasse son corps en un arc parfait et bondit. Oh ce bond ! Qui ne l'a vu, que sait-il de la souplesse et de la précision du vrai chasseur ? Il émerge tout de suite du haut foin en serrant dans sa gueule une petite bête à longue queue, gambade encore un moment puis, au lieu d'avaler sa prise, il la dépose sur le gazon, creuse avec ses pattes de devant un trou où il l'enfouit, et se remet en chasse à trois mètres de mon poste d'observation.

Je ne suis pas surpris de sa visite. Mes voisins, au cours du dernier été, m'ont souvent parlé de lui et, pas plus tard qu'hier soir, il s'est présenté à moi d'une bien curieuse façon.

J'allais, à mon arrivée de la ville, engager la voiture dans la courte allée menant de la route à la maison ; un coup d'œil au rétroviseur me donna à voir un beau renard roux, adulte, qui venait vers moi en trottinant au bord de la route, occupé à surveiller le fossé garni de hautes tiges. Il s'immobilisa, pointa oreilles et museau, s'arc-bouta sur ses pattes, sauta et réapparut avec, entre les dents, une petite forme brune. Je le vis rebrousser chemin, s'arrêter pour gratter le gravier de l'accotement, y déposer sa prise et la recouvrir de terre. Finalement il disparut, par un champ en friche, en direction de la montagne. Pour rassasier ma curiosité, je quittai la voiture et me dirigeai à l'endroit que vous pensez. Là où le sol était ameubli, je trouvai tout de suite le mulot à la nuque rompue, intact. Je remblayai avec soin et gagnai la maison.

Aujourd'hui il est là, devant ma porte. Après avoir chassé et fait deux fois le tour de notre terrain, il s'étend sur la pelouse, à deux pieds des marches de la galerie et se met en frais de faire sa toilette, à lisser son épaisse queue fournie comme un manchon et à mordre ses flancs avec frénésie. Me sera-t-il donné en cette vie une autre si idéale occasion de faire connaissance avec un renard libre ? Je quitte donc mon travail, ouvre la porte avec précaution et parais. Il se dresse. Pendant une seconde je crains qu'il ne s'esquive, mais non, il fait un mouvement vers moi, il pose les pattes sur la première des deux marches, ses yeux d'onyx rivés sur les miens, la truffe frémissante, les longues oreilles pivotant de tous côtés comme des radars.

— Tu veux entrer, hein ? Pas question. Une maison pour toi serait comme une cage, tu pourrais te sentir mal, t'affoler. Attends-moi ici, je reviens.

Je cours chercher à la cuisine un morceau de pain, un bout de fromage, que je lui présente. Il les saisit, court les cacher dans le sable et revient pour se coucher de nouveau sur le seuil.

Qu'auriez-vous fait à ma place, sinon tenter d'apprendre de l'intéressé lui-même tout ce que vous avez toujours voulu savoir à son sujet ? Était-il possible de procéder autrement qu'en engageant la conversation ? Et puis, qui a vraiment tenté l'expérience le sait : quand vous parlez à un renard, le plus étonnant, c'est qu'il vous écoute !

— Tu es bien familier pour une bête sauvage...

— Je te dirai tout de suite, pour te rassurer, que je n'ai pas la rage. Si tu me vois ici, à cette heure, c'est que j'ai appris à faire confiance à tes voisins, qui ont toujours un petit plat pour moi près de leur porte. J'ai reconnu en eux des personnes qui sont, comme on dit dans le pays, bonnes des animaux. C'est rare. Un soir, en sortant de chez Noël, tu m'as presque marché sur la queue ; j'étais étendu au pied du grand pommier.

— Je n'ai d'yeux que pour voir que tu es beau. Je t'ai déjà vu, de loin, parfois, sur les grèves de l'île d'Orléans et, la nuit le plus souvent, apparaissant sur la route dans le faisceau des phares. Je n'avais pas vu que tu étais si beau.

— Je suis bien, sous ma fourrure. À partir de l'automne surtout, quand je l'affine pour l'hiver.

— Il est superbe, ce pelage de feu. Superbes, cette bavette immaculée qui remonte vers tes joues, qui orne ta gorge et ta poitrine, tes pattes noires, tes oreilles noires au pavillon pâle, et cette queue si opulente.

— Beau logis pour les puces...

— Justement. N'est-ce pas à les déloger que tu t'occupes depuis tout à l'heure ?

— Les puces sont au renard ce que les soucis sont aux humains.

— S'il suffisait de croquer quelques soucis de temps à autre pour s'en délivrer ! Mais parlons de toi. Est-il vrai que par vivacité d'intelligence tu as inventé une technique pour alléger ta peau ? Un ami m'a raconté un jour une histoire héritée de son père.

— Ah bon...

— Cette histoire est une devinette : comment fait le renard pour se débarrasser de ses puces ?

— Eh bien ?

— Il saisit une touffe d'herbes entre ses dents, il entre dans la rivière, ne gardant que la gueule hors de l'eau. Les insectes aussitôt quittent le pelage et se réfugient sur la touffe d'herbes. Le nageur abandonne alors les puces au fil du courant.

— Astucieux. Mais le problème avec cette légende, c'est que je ne suis pas tellement nageur. Je hante, quand il se peut, les abords du fleuve, oui, mais surtout en pêcheur et en chasseur.

— Je t'ai déjà vu dévorer une oie sauvage.

— Hum… délicieuse, la chair de l'oie. Ferme et grasse et saine. Quelle tentation qu'un millier de beaux oiseaux paissant dans l'estran, dont certains ont la tête tout enfouie au fond de la vase. Je m'offre ce festin quand il se présente — et il se propose le plus souvent sous la forme d'oiseaux blessés par vos si habiles chasseurs. Mais mon ordinaire se compose de proies bien plus modestes.

— Les souris, par exemple.

— Si les humains savaient le nombre de trotte-menu que j'attrape en une semaine, on me décernerait la médaille du mérite agricole. Pour le reste, des petits fruits en saison, un oiseau ou deux, un lièvre, un écureuil, un poisson échoué sur la rive ; rien là qui mette en péril vos garde-manger.

— Et pourtant, quels méchants bruits fait-on courir à ton propos ! On t'a toujours accusé d'hypocrisie.

— Ah non, pas encore cette histoire de fourberie et de duplicité ! D'où peut-elle venir ?

— Oh, tu sais, une des limites de l'intelligence des hommes vient de ce qu'ils se fient trop aux apparences. Il suffit qu'on ait remarqué le dessin oblique de tes yeux, la courbe descendante de tes arcades sourcilières, le quasisourire qu'ébauchent tes lèvres bordées de noir, pour qu'on aille tout de suite à l'inélégante condamnation : une face comme celle-là ne peut appartenir qu'à un menteur.

— Je suis comme on m'a fait dans les premiers âges de ce monde. Une chose est certaine : animal ne peut mentir. Je marche pour humer et ne saurais me défiler devant la tâche. Quand je bondis sur les fins museaux tapis à fleur de terre, je souscris à ma fonction. Voleur ? Ne connais pas ce mot. Je prends ce qu'on m'offre. Et je me présente toujours sans haine et sans remords.

— D'accord. Sache pourtant que ta seule apparition émeut, dérange, suscite la peur.

— Ma voix. Un effet de ma voix sans doute.

— Tu veux parler de ce jappement aigre, bref, écorché, guttural, à faire frémir un mort et qui se répand parfois, le soir, au printemps et en été, dans les campagnes…

— … et que vous avez nommé mon glapissement. Il faut bien que je communique avec mes pareils par un langage qui ne soit qu'à moi.

— J'ai déjà entendu, un matin, très tôt, au cap Tourmente, près de la grève, cette succession espacée de oualp ! oualp ! C'est à glacer le sang des plus calmes parmi les honnêtes gens.

— Votre sang se trouble si aisément. La race à laquelle tu appartiens est si jeune en ce monde ; il semble que vous n'avez pas encore vu toute la peur qui vous habite. On m'a dit que certains humains s'épouvantaient d'une souris et même d'une araignée.

— Oui, notre âme est trempée de toutes les inquiétudes.

— À propos de mon langage... de la partie sonore de mon langage plutôt, car je parle aussi avec tout mon corps, avec tous les produits de mon corps.

— Pudique...

— Pudeur de renard est sans écart.

— À propos de ton langage oral donc...

— As-tu déjà pensé au fait que c'est précisément ce cri, que tu qualifies de déchirant, qui est à l'origine de mon nom ?

— J'essaie de voir. Oualp !

— Cherche un peu. Dans votre langue d'aujourd'hui on me nomme renard, mais c'est relativement récent. Le mot Régnart est apparu, voilà quelques siècles, dans un roman français où le nom du personnage vient de l'allemand Reginhart, qui veut dire : fort en conseil.

— Séduisant.

— Mais mon vrai nom français est Goupil, un mot issu du latin *volpes,* lequel vient de très loin dans le temps, sans doute d'une racine *oualp,* qui évoque étrangement, tu ne trouves pas, mon aboiement.

— Oui, *volpes.* J'ai toujours cru que ce mot latin signifiait : celui qui est si léger qu'il semble voler avec ses pieds.

— C'est à considérer.

— La première fois que je t'ai vu, dans ma jeunesse, tu traversais, au loin, un champ enneigé. Tu nous avais vus, mon compagnon et moi : nous avions un fusil. Je me souviens de cette flèche de feu roussâtre qui filait sur le blanc en direction de la lisière. Tu ne portais pas à terre, tu étais emporté, tu volais.

— Oui, je me sens léger comme la flamme. Le souffle et la résistance m'habitent. Le lièvre, par exemple, mon péché mignon, eh bien, sache qu'il court aussi vite que moi. Si je peux l'atteindre — parfois —, c'est que je peux courir dix-huit heures d'une traite.

— À propos de course. Je me suis laissé narrer une fameuse histoire qui non seulement révèle ta proverbiale rapidité, mais certaine acuité qu'on dirait presque d'intelligence...

— Tu vas, je le sens, évoquer cette anecdote que tous les goupils d'Amérique se racontent, le soir, au fond des terriers.

— Celle du train, tu la connais ?

— Oui, celle où l'un de mes frères se voit un jour pris en chasse par une meute de chiens féroces — mais pourquoi sont-ils si féroces, les chiens, au fait ?

— Peut-être parce qu'ils acceptent le joug. Continue.

— Il avait bien tenté de semer ses poursuivants en brouillant les pistes, en traversant, par exemple, un ruisseau sur des cailloux mouillés, en courant sur l'arête d'une clôture, mais la distance s'amenuisait, que diable ! Mon frère alors conduisit la horde rageuse vers une voie ferrée où, miracle ! un train (cela se sent sous les coussinets plantaires) venait derrière un cap...

— … et par une ingénieuse manœuvre, le renard a conduit plusieurs chiens sous les roues de la locomotive.

— On le dit. On dit même que mon frère avait en mémoire l'horaire des trains. Cela est peu probable, mais non impossible. Nous remarquons beaucoup plus de choses que vous ne croyez.

— Je sais en effet que pour toi le monde sensible est beaucoup plus ample que pour nous. Tes yeux — on l'affirme et je le crois — sont si perçants qu'ils peuvent déceler en pleine nuit la présence d'un lièvre tapi sous la verdure à un imperceptible mouvement de la tête. Et je sais également que ton ouïe est à ce point fine qu'elle te permet de capter le cri d'une souris à cent mètres.

— Oui, mais que diras-tu quand tu sauras ce qui se loge dans mon museau et qui me rend habile à flairer un mulot progressant sous la neige, à humer un oiseau blotti sous une couverture de feuilles, à reconnaître à leur signature d'urine chacun et chacune de mes pareils ?

— Je dirai que pour toi le monde possède une épaisseur olfactive inimaginable.

— Écoute. En ce qui concerne l'odorat, je suis tout semblable à mes cousins le loup, le coyote, le chien et autres chacals. Et tu connais sans doute ce que des savants ont avancé, il y a peu d'années, comme conclusion de leurs recherches : un verre d'essence de thym versé dans la mer suffit à changer l'odeur des océans pour tous les chiens du monde.

— Au chapitre de notre infirmité majeure, je dois

admettre en effet que l'être humain est cent millions de fois inférieur aux canidés sur le plan de l'odorat.

— C'est comme ça, je n'y peux rien et ne saurais en tirer orgueil. Oui, je flaire et renifle. Et crois-moi : le monde, ce que vous en avez fait, ne sent pas toujours la fleur.

— Mais tu persistes à fréquenter tout de même nos parages. À propos, pousserai-je l'indiscrétion jusqu'à te demander où tu loges près d'ici ?

— Pourquoi me poses-tu cette question, fourbe ? Tu sais très bien où je gîte. Tu es venu derrière la haie de cèdres, près de la falaise, l'autre jour. Tu as vu l'ouverture du terrier, face au sud, au bord de la pente sablonneuse.

— Je ne savais pas que c'était ta maison. J'ai pensé au tunnel d'une marmotte.

— C'est effectivement dans l'ancienne maison d'une marmotte — restaurée et agrandie — que j'ai élevé ma portée de renardeaux cette année.

— Tu es donc une… renarde ?

— Tu ne l'avais donc pas déduit de ce que je t'ai dit ? Seules les femelles glapissent.

— Hum… je me rends compte qu'à te fréquenter je pourrais sur bien des aspects m'affiner.

— Si je me permettais de philosopher un brin…

— … à l'instar de bien des goupils de la littérature…

— … j'irais sans doute jusqu'à te faire une confidence. Votre monde, celui dont vous avez hérité et que vous avez tant malmené, votre monde serait sans doute plus agréable à habiter, plus délectable, si vous appreniez à laisser en paix les bêtes sauvages, enfin celles qui ne vous menacent pas directement.

— Je le crois aussi. Mais peut-être pas pour les mêmes raisons que tu pourrais invoquer. Il faut que nous apprenions à jouir de la beauté de l'animal sauvage. En lui tout est léger et tendu à la fois. Pas un instant d'inattention et d'affadissement. L'animal sauvage est une des grandes beautés de cette planète.

Mon visiteur a-t-il entendu mes dernières paroles ? D'un gracieux mouvement du corps il se dressa sur ses pattes et, en sautillant, il gagna le bord de l'escarpement où, sans détourner la tête, museau et oreilles au vent, face au grand fleuve, il disparut dans les genévriers. Plus tard, en sortant, je vis qu'il avait laissé, en guise de signature ou de cadeau, qui sait ? une mince fumée molle sur la première marche de l'escalier.

MASQUE

J e vois bien, et cela m'amuse un peu, que vous avez eu la frousse de votre vie !

Il y a longtemps que vous désiriez passer quelques jours de solitude, en pleine nature du Nouveau Monde. Vous y êtes maintenant. Un ami vous a prêté ce chalet isolé, au bout de l'île, à trois pas du fleuve. C'est le mois d'août. La lune est un couteau croche dans un ciel étourdissant d'étoiles. La soirée aurait été parfaitement calme, n'eussent-été, venus de la falaise là-bas, ces rires étranges, ces tremblements de voix un peu ricaneurs, que vous avez prêtés, pour vous rassurer, aux enfants de quelque lointain voisin. Vous venez de manger les poissons que vous avez pêchés, l'après-midi, dans un étang tout proche. Et vous vous préparez à vous coucher. Vous n'êtes pas sitôt sous les couvertures qu'un frisson d'effroi vous glace dans votre lit. Dehors, derrière le chalet, quelqu'un déplace bruyamment quelque chose. Sans bouger d'un poil, vous attendez, vous n'arrivez pas à vous convaincre d'intervenir, d'autant plus que le bruit est devenu vacarme. Craignant qu'on ne s'apprête à forcer la porte, vous rassemblez enfin toutes les ressources de votre courage, vous quittez les draps, vous saisissez une lampe de poche et, par la fenêtre arrière, vous trouez la nuit d'un faisceau de lumière. Quatre charbons ardents dardent leur éclat sur vous. Les voleurs sont là et ne semblent pas dérangés outre mesure par votre intervention.

Peu à peu vous distinguez leurs traits. Ce sont de petits voleurs de la dimension d'un gros chat, trapus, épais de fourrure brunâtre aux reflets gris. Mais surprise : ce sont des chats masqués ! Vous remarquez tout de suite, dans leurs menues faces blanches, la présence insolite d'un masque, comme le loup de velours noir des Mardis gras. Vous vous dites que voilà de bien étranges animaux : ils ont de courtes oreilles rondes, ils possèdent une gueule de chien fine, effilée, mais qui porte, près de la truffe noire et luisante, des moustaches félines. Ensuite, ce sont les pattes qui vous étonnent ; elles évoquent tout de suite pour vous les membres délicats et déliés des singes, lesquels à leur tour rappellent, vous le savez, ceux des humains.

Finalement c'est la queue qui vous met sur la piste — si vous me permettez l'expression. Une queue opulente, divisée en cinq ou six anneaux contrastés. Ça y est ! Vous reconnaissez l'animal, car cette queue ornait, vous vous en souvenez, le fameux bonnet de l'homme des bois américain, Davy Crockett. Vos larrons sont des ratons laveurs, attirés par les déchets que vous avez déposés dans la poubelle de fer. Vous les effrayez en cognant contre la vitre. Ils regagnent, d'une démarche lente et dandinante, le petit bois qui vous sépare du voisinage. Ne criez pas trop vite victoire. Demain soir, ils seront encore là. Les ratons sont fidèles.

Bien drôle d'animal, en effet. Même son nom, en français, a quelque chose d'inapproprié. Est-ce un petit rat ? Il n'a rien qui le relie au monde des rongeurs. Dans certaines régions du Québec, on l'appelle encore : chat sauvage. Mais, à y regarder de près, on voit bien que l'animal n'a de parenté avec les chats que par ses dimensions et ses moustaches. Si l'on considère cette fois son nom anglais, que trouvons-nous ? Que Raccoon vient de l'algonquien *arrakun* qui signifie : celui qui gratte avec ses pattes. Pour laver, comme le suggère le mot laveur, présent dans son nom ? C'est la

légende, ici, qui s'immisce dans les sciences naturelles. On a longtemps cru et on croit encore que les ratons laveurs nettoient leur nourriture avant de l'avaler. Plusieurs personnes qui ont reçu leur visite à la campagne et même dans les villes, où ils s'aventurent de plus en plus, venant de la banlieue vers le centre, vous diront qu'elles ont trouvé toutes sortes d'objets dans leur piscine. Il peut même arriver que des forestiers ou des habitués de la forêt vous racontent une histoire de ce genre : une nuit, je campais au bord d'une rivière, quand j'ai été tiré de mon sommeil par un bruit insolite. Une présence s'amusait à remuer l'eau, tout près. À la lumière de la pleine lune, j'ai aperçu, sur la grève, un raton laveur occupé à plonger ses pattes dans le courant, comme s'il était en train de laver quelque chose… Pour ma part, de cette relation je retiens surtout les mots : *comme si.* En réalité, le raton, si futé, si intelligent soit-il, ne pousse pas la propreté jusqu'à laver sa nourriture à l'eau claire avant de la croquer. Il est vrai cependant que l'animal fréquente volontiers, du crépuscule jusqu'à l'aube, les bords des cours d'eau.

Je crois bien que c'est grâce à leurs pistes imprimées dans la vase de la grève, devant mon petit chalet de l'île, que j'ai fait connaissance avec ces animaux. Je les ai considérées avec beaucoup d'attention, ces pistes, frappé par leur ressemblance avec la marque laissée par la main d'un enfant sur une surface molle : même empreinte de la paume, même empreinte des cinq doigts écartés. Les Indiens sioux avaient donc raison de nommer le raton : *wica*. Ce qui veut dire : celui qui a des mains d'enfant. Non seulement l'animal est un plantigrade, comme l'ours, le singe ou l'homme (tous trois prennent appui sur toute la surface du pied), mais encore son sens du toucher est logé dans les doigts de ses pattes antérieures — et il est comparable au nôtre. Et, chose curieuse, cette sensibilité tactile s'aiguise quand les doigts sont mouillés. N'est-ce pas pour cette raison que les ratons laveurs plongent si souvent leurs membres dans l'eau ? Sans doute.

Et dans l'eau, à quelle activité se livrent-ils donc ? Tout simplement ils pêchent. Des nuits entières, ils fouillent les rivages dans l'espoir de découvrir, sous les roches, leur nourriture d'élection : des écrevisses, des menus coquillages, des insectes. Ils raffolent des petits poissons et des grenouilles. Aucune carapace ne résiste à leurs mâchoires vigoureuses, à leurs dents acérées. Un biologiste m'a raconté qu'un jour un raton laveur l'avait mordu. Les dents avaient transpercé sa main de part en part.

Est-ce à dire que l'être humain risque d'être attaqué et mordu par ces porte-masque à l'œil un peu triste ? Je dirai seulement que la prudence est de mise avec tous les animaux sauvages, même apprivoisés. Un raton aux abois ou cerné dans un coin se défendra avec courage et âpreté.

Pour ma part, j'ai toujours entretenu de bons rapports avec les ratons laveurs. Je les ai rencontrés partout où je suis allé en forêt : au bord des lacs et dans la proximité des rivières. Je les ai croisés en pleine rue, dans les Keys de Floride. Au parc Yosemite, en Californie, en plein après-midi, sur la galerie d'un chalet de location, j'ai longuement parlementé avec eux pour qu'ils cessent de forcer ma porte. Il faut dire que les occupants des habitations voisines leur passaient tous leurs caprices ; mais la place d'un animal sauvage n'est pas dans une maison.

Je les ai vus au bord du fleuve, bien sûr. Un matin, très tôt, chaussé de mes bottes, j'avançais dans la grande batture, à la recherche des oiseaux. Soudain, à trois mètres devant moi, surgit des hautes herbes un gros raton qui, debout sur ses pattes arrière, s'étirait le cou pour mieux me considérer et me renifler. Je lui ai dit : « Tiens, qui es-tu, toi, ce matin ? D'où viens-tu ? » Nous sommes restés deux minutes à nous toiser, puis il s'est baissé et tout de suite il a disparu. Sa rapide disparition est d'ailleurs toujours restée pour moi une énigme. Quand je me suis avancé pour savoir où il se cachait, je n'ai trouvé que des pistes, qui elles-mêmes se sont évanouies dans la dense végétation.

C'est sans doute le même individu que j'ai aperçu, quelques jours plus tard, aux premières lueurs de l'aube, pendant que je lisais dans un fauteuil collé à la fenêtre de l'est. Il était là, à portée de ma main, calmement assis sur une faible branche de l'amélanchier, à faire bombance de « petites poires ». J'ai frappé dans la fenêtre, il m'a fixé quelques secondes, je lui ai dit : « Me prendre mes petites poires juste au moment où j'allais les cueillir ! Tu es vraiment un filou. Et en plus tu as cassé plusieurs branches. File ! Ouste ! » Avec lenteur il est descendu de l'arbre et il a disparu du côté de la grève.

Cet été-là, j'ai su qu'une famille logeait entre les grosses pierres de la falaise qui ferme notre anse vers le nord-est. Tous les soirs, vers les huit heures, je les entendais, au loin, hennir, ricaner, ouiner, et je me délectais d'être le témoin de ces bizarreries vocales que jamais auparavant je n'avais entendues. J'étais dehors, ce soir-là, à la brunante, installé sous mon abri de moustiquaires, quand mon regard soudain se porta sur le tronc d'un érable bien touffu, dont les branches me surplombaient. Trois ratons en descendaient, queue la première, comme pompiers se laissant glisser sur la rampe verticale. Toute la journée, donc, ils avaient été là, au-dessus de ma tête, bien cachés dans le feuillage, à dormir sans doute ou à observer la vie d'en bas, les déplacements de ces drôles d'humains, si bien collés à la terre ferme.

Je les ai toujours trouvés plutôt mignons et dignes d'une certaine confiance jusqu'au jour où j'ai assisté à la scène suivante. Des biologistes avaient capturé, pour des raisons que j'ignore, un gros raton laveur et ils avaient apporté la cage dans le bureau du Service de la faune où je me trouvais avec une personne que j'étais allée rencontrer. La porte de la cage, à un moment donné, s'ouvrit et l'animal, pris de panique, se mit à courir dans tous les sens, grimpant sur les tables et les étagères, pour se réfugier finalement sur un tuyau qui traversait la pièce, près du plafond. Il tremblait. L'un de nous eut l'idée saugrenue d'approcher de sa gueule un bâton, qui fut, en trois coups de mâchoires, à moitié déchiqueté. J'ai compris alors que mieux valait ne pas se frotter à un raton intimidé, arraché de force à son milieu naturel.

J'en connais pourtant qui ont apprivoisé avec succès des ratons laveurs. Adoptés au début de leur vie, à peine sevrés, ils deviennent d'agréables compagnons en animaux enjoués et intelligents qu'ils sont. On dit qu'ils se révèlent presque aussi intelligents que les singes, ce qui est prouvé par leur facilité à réussir, dans les laboratoires, la plupart des tests que l'on fait subir aux singes dans le but d'évaluer leur « quotient intellectuel ».

On place, par exemple, de la nourriture dans un panier que l'on suspend à une corde à linge. Le cobaye, placé à l'extrémité, là où se trouve la poulie, apprendra vite à ramener le panier jusqu'à lui, ce que seuls les humains et les singes peuvent faire.

J'ai été témoin, un jour, de l'expérience suivante. On avait passé au cou d'un raton un collier retenu à une corde. Puis on avait placé un poisson à quelques centimètres du museau de l'animal qui, au bout de sa corde, ne pouvait le saisir. Il reniflait avec intensité, comme s'il avait voulu, par ses seules inspirations, attirer, aimanter jusqu'à lui la nourriture convoitée. Au bout de cinq minutes de vaines tentatives et sans doute de profondes réflexions, l'animal pivota sur lui-même et réussit à atteindre le poisson à l'aide de ses pattes postérieures. Convenons que bien peu d'animaux sauvages et domestiques auraient trouvé l'astuce.

Astucieux, ils le sont à coup sûr. Et c'est d'abord à la pêche qu'ils manifestent leurs talents. Les espèces qui les attirent sont les vairons ou autres petits nageurs dont les flancs brillent sous l'eau, ce qui les rend visibles, par les nuits claires, dans le courant peu profond. On a vu des ratons assis carrément dans l'eau, fouillant le fond à l'aide de leurs griffes. L'eau s'embrouille, ce qui oblige les poissons à chercher sur l'heure une cachette. Quel meilleur refuge que cette abondante fourrure immergée ? Dès que le pêcheur sent une présence remuer dans ses poils, il s'en saisit aussitôt, pour en faire ses délices.

La dextérité des doigts alliée à une rare habileté, voilà ce qui explique l'aptitude des ratons laveurs à retirer le bouchon de liège des bouteilles, à tourner le couvercle des pots et même à ouvrir les portes en tournant les poignées ou en déjouant les loquets. On raconte que certains arrivent à ouvrir la porte d'un réfrigérateur. C'est cette même adresse qui leur permet de grimper si rapidement aux arbres et d'être aussi agiles qu'un écureuil à travers les branches. D'ailleurs, c'est là, au cœur des frondaisons, que les ratons passent une bonne part de leurs journées ; c'est là qu'ils se réfugient à la première alerte et c'est dans un arbre creux qu'ils établiront le plus volontiers leur gîte.

Avant d'aller les rejoindre dans leur intimité, j'ai encore à vous entretenir de cette dextérité qui a toujours fasciné les gens qui les ont approchés.

Je causais récemment avec un vétérinaire qui s'y connaît assez bien en ratons laveurs, pour la simple raison qu'il cultive, à la campagne, du maïs sucré. Vous comprendrez où je veux en venir si vous savez que notre animal est d'origine tropicale, mais que depuis des millénaires il s'est fort bien adapté aux conditions de vie nordiques. Seulement, pour passer l'hiver, lui qui pendant six mois, aux limites de l'hibernation, se privera de toute nourriture, il devra emmagasiner sous sa peau une épaisse couche de graisse. À partir de la fin de l'été et durant tout l'automne, il s'empiffrera de tout ce qui lui tombe sous la dent — le maïs sucré exerce sur lui un attrait sans bornes.

Les fermiers savent que le voleur masqué sait attendre le jour exact (et la nuit suivante) où le maïs devient mûr pour venir visiter la plantation. Il faut avoir vu l'état lamentable d'un champ de blé d'Inde après le passage des ratons pour comprendre la haine que leur portent les maraîchers. Toutes les tiges sont rompues et chaque épi a reçu une morsure.

Mon vétérinaire, donc, cultive du maïs, ou plutôt essaie d'en récolter. Il a vraiment tout mis en œuvre pour attraper les cambrioleurs avant leurs méfaits nocturnes. Une année, il a enfoui une pilule de strychnine dans la chair d'un poisson ; le raton a mangé l'appeau en évitant soigneusement le poison. L'année suivante, il a construit une cage, mais il s'est vite rendu compte que les larrons recouvraient vite leur liberté en déjouant la fermeture de la porte. Finalement, un ingénieux système de loquet a été mis au point, qui s'est avéré efficace. On découvrait ainsi le moyen le plus sûr d'éloigner les petits bandits des cultures de maïs. Un raton pris au piège lance certains cris de détresse qui ont pour effet de tenir à distance toute la bande. Il suffit d'en piéger un, la nuit même où la céréale atteint sa pleine maturité, et le tour est joué.

Ces cris de détresse ont toujours beaucoup étonné les

personnes qui les ont entendus. Car ce n'est pas un petit animal arboricole qu'ils évoquent à la première écoute, mais plutôt un cheval ! Quand il est pris, le raton fait entendre un curieux hennissement, un peu triste, en faisant trembler sa voix comme dans un vibrato. Je lui trouve, pour ma part, quelque chose d'émouvant, sans doute parce que l'animal est peu bavard et qu'il réserve d'ordinaire ses manifestations vocales pour le secret de sa vie privée, dans l'intimité de son gîte.

Ce gîte, je l'ai mentionné, est le plus souvent aménagé dans un arbre creux, mais l'animal ne dédaigne pas les crevasses rocheuses, les terriers de marmottes, les cabanes de rats musqués et même les habitations humaines. Il a une prédilection pour les greniers des maisons abandonnées.

C'est dans le gîte que la femelle reçoit le mâle au mois de février. Les amours des ratons, aux dires des gens qui les ont observées (des chercheurs, le plus souvent), ont quelque chose de touchant en ce qu'ils évoquent les relations intimes des couples humains. La rencontre proprement dite est marquée par la douceur, la lenteur, une certaine délicatesse, et elle s'accompagne chez la femelle de longs ronronnements assez bizarres, aux accents parfois grinçants, qui sont, on l'a dit en tout cas, comme l'expression de son acceptation et peut-être même de son confort.

La cohabitation du mâle et de la femelle dure cinquante jours. Pendant cette période, les liens sont puissants et harmonieux, si l'on se fie aux agissements des couples élevés en captivité, les seuls qu'on peut vraiment étudier. Si, par exemple, on retire le mâle de la cage commune, la femelle entre aussitôt dans une profonde mélancolie, elle se lamente et ne cesse d'arpenter son enclos en cherchant par où elle pourrait s'évader. Mais si on installe le mâle dans une cage contiguë, la femelle tout de suite s'égaie, surtout si elle peut toucher son compagnon à travers les grilles.

Et pourtant, après une idylle d'un mois et demi, le mâle, un bon matin, se verra chassé du gîte avec la plus opiniâtre énergie. La raison en est que treize jours plus tard, très précisément, à la fin d'avril, la femelle mettra bas. Et, comme il arrive chez beaucoup d'espèces de mammifères, le mâle doit être tenu loin des petits.

Les relations de couple sont simples et claires chez les ratons. Tout aussi puissants, tout aussi empreints de dévouement et de délicatesse seront les rapports entre la mère et ses petits. Et ces rapports sont longs, puisque les jeunes demeurent avec leur mère jusqu'à la prochaine saison des amours, en février de l'hiver suivant. Les familles que vous avez vues défiler, à la brunante, aux limites de votre terrain, même en pleine métropole, regroupent toujours une femelle et ses ratonneaux. Les individus solitaires sont des mâles.

Je suis bien heureux que vous ayez fait connaissance avec les porte-masque, cette nuit où vous avez accepté d'occuper mon petit chalet du bout de l'île. Vous désiriez connaître un peu de la vie secrète du grand fleuve ; ils en sont une des présences. Et puis ils sont parmi les animaux les plus curieux de la nature sauvage, les plus originaux aussi, rappelant, par leurs gestes, certains traits humains.

Pour ma part, ce ne sont pas leurs excentricités qui m'émeuvent le plus. Me touche bien davantage la découverte soudaine, lors d'une promenade le long de la grève, de leurs pistes gravées sur le sol humide. Toujours je m'arrête et toujours j'admire ce fin travail de ciselure naturelle, la main de Wica, imprimée là comme une autre présence insolite de la vie. En voyant ces pistes, je revois en esprit les fines mains dessinées au pochoir sur les murs des cavernes préhistoriques, à côté des chevaux, buffles et lions peints avec un art incomparable.

ROUGE

De tout temps, il me semble, dès les premières années de ma vie, je les ai vus au bord du fleuve, ces oiseaux. Ils me sont apparus tout de suite comme le signe aérien de l'exubérance. Cette exubérance-là était un débordement de vols, de poursuites en rouge et noir, une pétillante profusion de cris et d'appels ; elle venait de l'oiseau le plus abondant de la terre, bien qu'il soit confiné aux seules Amériques.

Vous l'avez aperçu au bord des routes, au printemps, parmi les quenouilles, vous l'avez observé dans le pourtour des étangs et des lacs, près des cours d'eau plus ou moins considérables. Nul marais, nul marécage où il n'exulte. Seuls les déserts de sable et de glace ignorent la présence de ce passereau de grosseur moyenne, tout noir chez le mâle, avec, à la naissance de l'aile, d'étincelantes épaulettes écarlates. Vous le connaissez sous des noms divers et chacun de ces vocables lui rend justice : petit caporal, caporal aux ailes rouges, commandeur des grèves. Survole-t-il l'Amérique anglaise, il devient Redwing Blackbird. Parvient-il plus au sud encore, le voici nommé « chirriador », ce qui veut dire : grinçant, piailleur. Comprenons que là où les oiseaux multicolores sont légion, il est normal que le répertoire vocal surtout ait attiré l'attention. Sous nos climats plus rudes, la couleur rouge chez les oiseaux séduit, émerveille : voilà donc nommé le Carouge à épaulettes.

C'est un ictéridé (icter, en grec, veut dire : jaune). Le jaune abonde chez les autres membres de la famille, chez le goglu, la sturnelle, l'oriole. Font figure de moutons noirs le mainate et le vacher.

Du jaune, incidemment, on en perçoit sur le plumage du carouge. La belle tache écarlate des épaulettes est lisérée de jaune, seule couleur visible quand l'oiseau est au repos ou figé par la crainte. Les mâles d'un an ont les épaulettes orange et jaune ; les femelles, pour leur part, contrastent par tant de sobriété ; la nécessité d'arborer un plumage favorisant le camouflage au nid les a faites d'un brun rayé de blanc et de beige.

Pour le moment, je vous invite à me suivre dans un de ses habitats préférés, là où il m'est apparu à son meilleur, là où j'ai entendu toutes ses manifestations sonores : la grande batture du bout de l'île où pullulent tous les oiseaux de marécage, migrateurs et résidents. Le carouge y fait la loi à sa manière, car c'est un impérieux, toujours prompt à se découvrir et à s'exprimer.

Chaque année, invariablement, autour du 25 mai, les Grandes Oies blanches s'envolent vers l'Arctique. Il se fait alors sur tout le marécage un étrange silence, tant les oies,

pendant les deux mois qu'elles y stationnent, sont bruyantes de jour comme de nuit. Le carouge peut se déployer à son aise. Son heure est venue. Le visiteur qui s'approche de la grève en cette saison est tout de suite accueilli par deux ou trois mâles qui, jaillis des herbes, viennent se percher sur les hautes branches des arbres qui bordent le marais. Ils gonflent les plumes noires de leur costume, exhibent leurs épaulettes flambantes et *okalisent*. Je pourrais aussi bien dire : kankirisent, puisque leur chant peut être transcrit par tous les sons se rapprochant d'okali, kankiri, etc.

Nous voilà donc à proximité des territoires. Un pas en avant et nous entendrons cette fois un cri d'alarme, un siffle-ment perçant, répété à satiété. C'est la manière de l'oiseau de signaler la présence d'un prédateur. Ne sommes-nous pas, pour la plupart des animaux, des prédateurs, souvent impi-toyables ?

Si nous allons plus près encore, arrivant cette fois-ci à proximité des nids, nous nous ferons frotter les oreilles par une série de forts *tchok ! tchok !* Mâles et femelles n'hésite-ront pas à venir nous tourner près de la tête.

Territoire, vous disais-je. Le carouge est un oiseau vi-goureusement territorial. C'est même un grégaire, vivant en colonies parfois nombreuses selon les dimensions de l'habi-tat. Notre batture est un vaste habitat. S'y trouvent donc plusieurs territoires plus ou moins contigus, et chacun est défendu avec une énergie bruyante par le mâle qui l'a déli-mité au mois d'avril.

C'est une plaisante histoire, cette arrivée des carouges au printemps. Il me faut vous la raconter à partir du début.

La migration printanière des commandeurs ressemble aux grandes marées. Les oiseaux surviennent par vagues successives, chacune ayant sa forme et sa couleur. Sept marées sont nécessaires pour transporter du sud au nord l'entière population.

Le tout début d'avril voit arriver les vagabonds, les errants, si difficiles à approcher, suivis par les mâles adultes qui ne sont que de passage. Puis viendront les mâles adultes résidents, presque en même temps que les femelles en transit. Trois semaines plus tard survient la marée des femelles nicheuses, des mâles immatures et des femelles immatures résidentes. Organisation ? Discipline ? À l'évidence. Vous n'aviez pas tort, Anciens, de parler de caporaux et de commandeurs.

Il reste que les marées les plus marquantes sont celles qui nous apportent les femelles et les mâles nicheurs. Fin avril, début mai, l'animation est déjà vive chez les carouges de la batture. Vagabonds et migrateurs sont partis. Les oiseaux qui restent affichent des comportements empreints d'ostentation. Peu farouches, ils ne fuiront pas facilement à l'approche d'un humain. S'ils le font, ce sera pour voler sur une courte distance et revenir à leur point de départ.

Tout le jour, en fait, les carouges ne cessent de changer de place à l'intérieur d'un espace restreint. D'un buisson ils volent vers un arbre qu'ils quitteront bientôt pour s'agripper à une quenouille. Et de poursuivre le manège. Ces déplacements nerveux sont le signe qu'ils sont en train de jalonner leur concession. Évidemment ces vols brefs s'accompagnent du fameux *okali*.

Si un mâle s'introduit dans un territoire déjà occupé, il est sur-le-champ pris en chasse. Des combats peuvent s'ensuivre, combats qui la plupart du temps, comme c'est la coutume chez les oiseaux, misent davantage sur la voix que sur le muscle. Le carouge crie, mais ne casse pas !

Il arrive souvent que deux mâles se rencontrent à la frontière de leurs domaines respectifs. Ils se livrent alors à des gestes d'intimidation où l'un et l'autre lèvent le bec vers le ciel en décuplant l'éclat de leurs épaulettes rouges. Au bout d'un moment, un des lutteurs, pour une raison qui nous échappe, demande quartier en quittant l'arène.

Cette prise de possession du territoire dure des semaines. C'est une période bruyante, colorée, assez jubilante, que Claude Mélançon, rappelant une expression populaire, nomme « le carnaval des étourneaux ».

La batture, pendant ce temps, a vu apparaître ses premières verdures. Puis vers la mi-mai une autre marée répand par petits groupes les femelles à travers les habitats. Où nous nous trouvons, nous pouvons en apercevoir une vingtaine. Vingt femelles pour douze mâles ? C'est normal, comme nous le verrons plus loin.

Le jour de leur arrivée, les femelles fréquentent les arbrisseaux qui bordent le marais. C'est alors que le sang des mâles s'échauffe. On les voit venir à leur rencontre, faire étinceler leurs décorations et se lancer dans de courts vols démonstratifs qui les font glisser jusqu'au pied des herbes. Aussitôt ils reprennent l'air, se posent bien en vue sur leur perchoir et, bien sûr, font résonner leur tonitruant *okali*. Ce déploiement n'empêche nullement les arrivantes, sur leur quant-à-soi, de se livrer à des visites systématiques de la végétation du marécage. Et cela dans un but bien précis : choisir la chambre où chacune passera les deux mois à venir. Voilà donc un trait remarquable du couple carouge, celui qui conduit la femelle à se constituer un territoire particulier à l'intérieur du plus grand territoire du mâle. « Une chambre à soi », dirait Virginia Woolf, une chambre que chaque femelle défendra contre les convoitises et les intrusions des autres femelles de la colonie.

Mais pour atteindre sa parcelle réservée, dame carouge devra franchir une frontière défendue par un des mâles nicheurs. Que va-t-il se passer ? Il est certain que le propriétaire prendra en chasse tout congénère survolant son domaine. Une femelle, toutefois, est tenace et volontaire. Elle reviendra jusqu'à ce que le commandeur s'incline devant tant d'acharnement.

C'est alors qu'il entreprendra sa cour. En venant rejoindre sa future compagne au sol ou sur une branche, il gonflera son plumage, étalera sa queue de jais, courbera tout son corps comme un arc et, surtout, il s'allumera, fera briller d'un rare éclat ses plumes rouges. Nous devenons donc les témoins d'un rituel amoureux où des échanges de gestes et de couleurs s'accompagnent de vocalisations très douces, des sortes de *té-ti-ti-té* émis sur le mode assourdi.

Parmi les gentillesses qu'un carouge pourra chuchoter à sa partenaire, il en est certaines qu'elle est autorisée à prendre avec un grain de méfiance ; les promesses d'exclusivité amoureuse, par exemple, le caporal pratiquant la monogamie avec le maximum d'élasticité. Pour une raison fort simple : les femelles, à l'intérieur d'un habitat, sont souvent en excédent. Un mâle pourra donc courtiser deux femelles sur son territoire. Et chacune possédera sa propre chambre.

D'étranges bruits circulent sur les appétits du carouge. Ne dit-on pas qu'à la prétendue manière des troglodytes, il construirait des faux nids dans l'espoir d'y attirer plusieurs femelles ? Disons seulement que les humains tendent à projeter leurs désirs ou leurs rêves sur le comportement sexuel des animaux. En ce qui concerne les carouges, la situation est limpide : seules les femelles bâtissent le nid, construction qui se présente comme un fin entrelacs d'herbes des marais, en forme de légère coupe suspendue aux branches cachées des buissons, à des quenouilles, à des hautes tiges.

Première qualité de ces nids : leur camouflage. On sait où ils se trouvent, mais on n'arrive pas à les voir. De plus, toute tentative d'approche est mise à mal par la forte émotion qui secoue le territoire de la femelle si une imprudente curiosité vous y amène. En une seconde, vous êtes assailli par deux oiseaux, un noir, un brun, qui vous frôlent le toupet, tentent de vous éloigner avec des *tchok-tchok* bien sonores. Iront-ils jusqu'à vous pincer de leurs becs ? Il se trouve des personnes à qui la mésaventure est arrivée, un jour, par exemple, où elles étaient descendues dans un fossé, au bord de la route, pour y couper des herbes.

On a toujours tort de mésestimer le courage du carouge (cela sonne tout drôle). Il est légendaire. Courage ou agressivité ? À vous de choisir. Ce que l'on prend pour l'un est souvent l'autre, même chez les humains. Mais l'agressivité est un fait de la nature. Konrad Lorenz parlait du « grand parlement des instincts où l'agressivité joue un rôle normal et sain ».

Pendant que la femelle couve ses trois ou quatre œufs couleur crème marbrés de brun, que fait donc le commandeur ? Il surveille. Il garde le domaine. Il s'attaquera à tout gros oiseau qui violera ses frontières. Les pauvres corneilles ! Combien j'en ai vu, de ma fenêtre, qui osaient s'aventurer, même en peu nombreuses confréries, au-dessus de la batture, venant des cimes de la falaise toute proche. En un éclair elles se voyaient prises en chasse par un commando de caporaux prompts à venir leur pincer la nuque, réussissant chaque fois à décourager la bande. J'ai même vu, au printemps, des carouges s'en prendre au busard des marais, rapace de bonne taille, spécialiste de la traque en terrain ouvert. Étrangement, le busard ne vient jamais dans la batture en juin et en juillet, saison où le carouge nidifie. Craint-il d'être tourmenté par les gardiens des territoires ? Je le crois, puisque c'est le mois d'août qui le ramène, à l'époque où les caporaux sont moins belliqueux.

Bien sûr, au meilleur de leur été, les oiseaux ne font pas

que monter la garde ; ils s'occupent aussi à manger. Manger et nourrir, car les oisillons qui naissent au terme d'une incubation de douze jours jouissent d'un appétit insondable. Pour le satisfaire, les parents devront pourchasser les nombreuses espèces d'insectes qui peuplent les marais, dénicher les larves surtout, et puis ramasser les graines des herbes dites mauvaises et toutes sortes de grains que les oiseaux iront chercher dans les champs au milieu de la journée. On affirme qu'à cette époque de l'année, le carouge est un allié de l'agriculteur, ce qui ne sera pas tout à fait le cas un peu plus tard au cours de la saison. Mais cela est une autre histoire...

M'intéresse pour le moment un aspect de leur vie qui rejoint un trait commun à la plupart des oiseaux. Vers la fin juillet, au moment où les familles d'hirondelles se livrent à des frénésies de virevoltes au ras de la grande batture, les carouges, eux, du jour au lendemain, disparaissent. Un matin, on ne voit plus personne. Où sont-ils donc ?

Ils sont simplement en retraite fermée, dans quelque recoin de l'anse. Ils préparent leur renaissance. En fait, ils se dépouillent de leurs vieilles plumes et attendent, sans se montrer, l'apparition du vêtement nouveau. Cette mystérieuse réclusion peut durer trois semaines. Au terme de la mue, les femelles retrouveront leurs anciennes couleurs tandis que les mâles porteront au bout des plumes noires de menues pointes brunes qui s'useront peu à peu au cours de l'hiver.

Toute la colonie alors se sépare selon les sexes. Mâles d'un côté, femelles de l'autre, les carouges forment de grosses bandes qui s'associent à des groupes de vachers, de goglus, de mainates ; on les voit tous ensemble déferler à travers les cultures de céréales. C'est le moment de l'année où les fermiers dirigent vers eux un poing vengeur. Encore que sous nos latitudes nous ne savons pas vraiment ce qu'est une troupe dévastatrice de caporaux. Les États sudistes, pour leur part, voient, à la fin de l'été, arriver ces milliers d'oiseaux noirs qui pleuvent en rafales sur les champs de blé et de maïs et sur les rizières. Toute horreur ayant son revers de beauté, ils forment alors des vols ahurissants qui évoluent en parfaite synchronie, se déplacent, virent brusquement à l'unisson et présentent à la lumière une profusion de noir et d'orangé.

C'est au sein de leurs quartiers d'hiver, dans les États-Unis méridionaux, que les carouges adoptent un régime de vie parfaitement réglé. Dès l'aube, les larges assemblées quittent leur gîte. Elles peuvent parcourir jusqu'à quatre-vingts kilomètres pour trouver le champ prodigue en bonne pâture. Toute la journée les oiseaux grapilleront, la plupart du temps rendus invisibles par la végétation. Puis, vers la fin de l'après-midi, les diverses confréries s'abandent de nouveau et, d'ajout en ajout, constituent un gigantesque défilé aérien, un noir nuage de familles qui se retrouvent au refuge, devenu dortoir de plusieurs centaines de milliers d'oiseaux. En Alabama, en Arkansas, on a évalué la population de certains dortoirs à cinq millions d'oiseaux. Quel spectacle ce doit être ! Mais quelle consommation de céréales en une seule journée ! On a sans doute raison d'évoquer un problème carouge, allant jusqu'à employer les mots : peste, nuisance, fléau. Mais ces vocables ne relèvent-ils pas de la subjectivité humaine ?

Il est évident que le carouge a bénéficié de la prolifération des monocultures céréalières. Une situation qui n'est pas naturelle peut déclencher une expansion animale qui, elle non plus, n'est pas naturelle.

Peut-être réussira-t-on, en certains lieux d'Amérique, à restreindre les populations d'oiseaux noirs, mais je reste assuré que les enfants de nos enfants verront, au printemps, des carouges à épaulettes envahir leur habitat préféré en sept vagues de couleurs différentes. Les salutations sifflées précéderont les débordements d'ailes rouges et d'*okali* grinçants. On en saura sans doute plus sur le langage de cet oiseau exubérant. Et même, j'en forme le vœu, on connaîtra par cœur ce court poème de Paul-Marie Lapointe qui dit tout le bien qu'un seul oiseau, même noir, peut faire à l'esprit humain :

> *Personne ne me parle plus*
> *Rien ni personne.*
> *Sinon le cri strident du carouge*
> *L'oiseau noir aux ailes rouges*
> *dont j'usurpe le territoire*
> *l'espace de vivre.*

TAMBOUR

Il m'arrive parfois de voir apparaître, au milieu du fleuve, de véritables îles de lumière. Ainsi, l'autre jour, j'étais dans la petite maison du cap Maillard, en Charlevoix, et je travaillais devant la fenêtre. Le ciel, depuis l'aube, était fermé. En levant soudain les yeux vers le large, en direction de la Côte du Sud, je vis surgir sur la grande nappe grise, hérissonnée de courtes vagues, deux îles de très grand feu. Le soleil, invisible, s'était immiscé entre deux nuages et laissait couler sur la surface de l'eau une matière flottante indéfinissable, qui se mit à brûler comme du métal en fusion. L'apparition de cette incandescence alluma une lampe dans mon esprit, éclaira le puits de mes pensées et devint, même après la disparition du phénomène, comme la visite de ce pan de réalité, si mince, si rare, qui n'en demeure pas moins l'aliment inavoué de tout contemplateur des fleuves.

Je vois des îles ; je vois aussi, à d'autres moments, passer des lacs en face de Québec. Pour les observer, j'attends le grand dégel de mars et vais me poster au sommet du cap

Diamant. Le fleuve, avec le concours des marées, charrie ses bancs de glaces morcelées, troupeaux blancs formés de blocs gelés, de plaques étincelantes et d'épais morceaux de miroirs arrachés aux grèves par les hautes mers. Se produit alors, les jours où le ciel est pur, un phénomène qui n'a son pareil en aucun autre lieu : les troupeaux de blocs, à certains moments, s'agglutinent, se pressent, se fondent les uns aux autres et libèrent ainsi des espaces d'eau bleue qui épousent toutes les formes : canards s'étirant en des poses mouvantes, nuages changeant à l'infini, puzzles variables et, surtout, donnant naissance à des lacs aussi beaux que les lacs perdus au fond des grandes forêts ou ceux qui éclairent les plaines tremblantes de la toundra subarctique.

Ces lacs-là passent, défilent, modifient sans cesse leur forme, descendent vers l'aval et puis, cette fois plus lentement, reviennent, transmutés, vers l'amont quand la marée se met au montant.

Il est étrange de voir le fleuve engendrer des lacs, puisque la réalité géographique enseigne plutôt le contraire. Le Saint-Laurent vient des Grands Lacs, véritables mers intérieures du continent nord-américain. On oublie généralement de mentionner que des milliers de lacs plus modestes sont les sources et réservoirs des centaines de rivières qui, au nord comme au sud, viennent affluer vers le grand fleuve, apportant ainsi à la veine majeure, par des capillaires innombrables, des eaux venues de très loin.

Je ne peux m'empêcher, quand je longe ou traverse une de ces rivières, d'entreprendre par l'imagination une expédition qui m'en fera remonter le cours en sens inverse, pagayant sur les tronçons étales, portageant où bouillonnent chutes et torrents, reprenant plus loin mon canot pour atteindre enfin, au milieu de la forêt, le lac désirable.

Parmi les nombreux lacs que je connais, il en est un où j'aimerais vous conduire. Je l'appellerai le lac Sans-bon-sens. Chaque année, au meilleur de la saison de la pêche, mon ami Pierrault m'invite à passer quelques jours dans son camp de bois rond, seule habitation située sur ses bords.

La route est longue et ardue pour parvenir au cœur de la forêt qui s'étend, au nord de Mont-Laurier, entre les Laurentides et l'Abitibi, mais une fois atteint le terme du voyage, la solitude est en chaque lieu et à chaque seconde palpable, la tranquillité absolue.

J'ai toujours été fasciné par ces lacs profonds qui s'ouvrent subitement dans le secret de la vaste étendue d'arbres et qui sont de lumineuses clairières devenant miroirs quand, vers la fin du jour, se couche le vent. Je ne me suis jamais approché d'un de ces lacs sans penser à la multitude d'éléments naturels qu'il réunit dans un périmètre somme toute limité ; je crois même que c'est le seul lieu du monde où cohabitent l'eau, le ciel, la forêt, les herbes, les fleurs, les rochers, le sable, les insectes, les poissons, les amphibiens, les mammifères, les oiseaux, toutes ces richesses tournées les unes vers les autres et prenant appui sur le même centre. Lieu de rencontre privilégié, le lac est aussi invitation à méditer sur l'extrême jeunesse de la nature laurentienne, telle que nous la connaissons aujourd'hui. Il suffit par

exemple de penser que les millions de lacs, grands ou minuscules, qui illuminent notre territoire sont nés il y a tout
juste dix mille ans, à mesure que le grand Glacier reculait
vers le nord, burinant l'écorce terrestre, creusant, dans la
roche plus tendre, des cuvettes où l'eau douce fut endiguée.
Il suffit de penser également que depuis quelques milliers
d'années plusieurs de ces lacs sont morts, que d'autres sont
« sur l'âge » et que, dans moins d'un siècle, plusieurs autres
se seront entrophysés, c'est-à-dire que leur fond aura gra-

duellement remonté, qu'ils se seront mués en marais, de marais en tourbières et de tourbières en étendues boisées. Les lacs sont des êtres vivants ; comme eux, pour ainsi dire, ils passent. Et ils passent de plus en plus vite depuis que les nuages transportent loin vers le nord les poisons acides qui accélèrent le vieillissement de ces fabuleuses richesses. Il n'est pas si loin le temps où l'eau douce sera sur notre planète un élément plus précieux que l'or. J'en ai été brutalement convaincu le jour où j'ai appris que si la totalité de

l'eau douce contenue dans tous les fleuves, lacs et marais était également répartie sur la surface du globe, elle formerait une couche dépassant à peine trente centimètres. L'eau salée, en revanche, atteindrait deux kilomètres d'épaisseur.

Oui, on pense beaucoup, au bord des lacs. Et on agit aussi. Ce sont quelques-unes de ces actions, que je me plais à appeler des expériences, des aventures, que je me propose de vous raconter.

À l'aube du 10 juin 1983, j'étais dans le chalet de Pierrault et je me réveillais. Le maître préparait déjà le café. Deux autres compagnons achevaient de ronfler derrière les minces murs. Quelques minutes plus tard, nous étions tous les quatre sous la véranda en train d'admirer le point du jour qui étirait des nappes orange et roses sur l'eau calme. Notre présence avait mis en voix les Hirondelles des granges qui surgissaient de leurs nids, coupes de boue séchée qu'elles avaient fixées sur les soliveaux de la galerie. Peut-on concevoir de meilleurs augures que ces ardents gazouillis ponctués de stridences ? Je me suis attardé un moment à jouir de la beauté de cet oiseau remarquable par sa poitrine orangée, son dos bleu aux reflets métalliques et sa longue queue fourchue. Sa gorge de feu tout le temps illumine, au repos comme en vol. Et je pensais à cet attachement particulier que cette espèce a développé au cours des siècles récents pour les habitations humaines, de sorte qu'elle ne construit plus ses nids au flanc des falaises comme elle le faisait avant l'arrivée des Blancs.

Un léger coup de coude me tira de mes pensées. À quelques mètres devant nous un castor passait, le bout du nez hors de l'eau ; sans nous prêter la moindre attention, il nageait vers le soleil levant. Et subitement, comme pour entourer d'un peu de mélodie cette scène matinale, un petit oiseau à la tête rouge apparut dans le tremble qui frôlait la véranda et se mit à nous raconter, en termes sifflés, une assez jolie histoire d'exultation gratuite. L'oiseau rouge des oiseleurs de jadis, le Roselin pourpré, venait saluer avec nous la naissance du jour. Le roselin n'est pas à proprement parler un oiseau de lac, mais, dans ces habitats sauvages, tout peut arriver.

Vers les six heures, nous étions déjà dans les canots de toile avec nos cannes et nos agrès. Mon ami Pierrault, qui a longue habitude et profonde connaissance de ce lac long d'un bon kilomètre, tenait l'aviron, dirigeait l'embarcation vers les meilleurs trous et les baies les plus propices, pagayant en silence au ras des rives où les buissons touffus et les squelettes d'épinettes tombées à la renverse, à demi immergées, ménageaient pour la truite des retraites idéales. J'étais en train de fouetter l'air de ma « canne à moucher » quand j'entendis derrière moi le déroulement subit d'un moulinet. J'étais sûr qu'un poisson énorme venait de mettre en mouvement le moulinet de mon compagnon, mais je vis tout de suite le martin-pêcheur, flèche d'azur, quitter une branche en surplomb au-dessus d'une anse et filer vers la rive opposée en émettant son cri d'alarme qui évoque un bruit de crécelle.

Le calme était revenu. On percevait bien, dans la dense forêt qui faisait écran sur le pourtour entier du lac, le chant de plusieurs oiseaux (pinsons, grives, carouges, parulines), mais mon attention était entièrement sollicitée par la manière douce et précise avec laquelle il faut poser la mouche pour que leurrer les truites. Vers huit heures, une brise légère vint répandre sur l'eau des nappes de frissons, mais le poisson dédaignait toujours nos appâts. Nous nous trouvions pourtant, aux dires de mon ami, dans le coin le plus prometteur.

Tous les habitués vous le diront : la pêche est une dévoreuse de temps. Vous jetez un œil à votre montre à neuf heures, vous exécutez quelques lancers, vous regardez de nouveau votre poignet : il est dix heures. C'est à peu près vers cette heure, au moment où, le canot bien arrimé aux branches de la rive, nous lancions nos hameçons le plus loin possible vers le large, que nous reçûmes une intempestive invitation à l'intempérance. Un petit dieu bachique, tapi quelque part dans le bois auquel nous faisions dos, nous invitait à boire de la bière. Il convient de faire remarquer que la plupart des pêcheurs n'attendent pas cette curieuse invitation pour abattre la soif ; il n'en demeure pas moins qu'un oiseau nous disait en langage explicite : « Vite, trois bières ! » Je ne sais trop pourquoi, mais c'est dans la langue de Mark Twain qu'il s'exprimait. « Quick, three beers », se plaisait-il sans fatigue à répéter.

C'était le Moucherolle à côtés olive, petit volatile verdâtre et blanc, perché sur la cime d'une épinette, qui poussait sa courte phrase d'exhortation alcoolique. Lui non plus n'est pas un visiteur coutumier des abords lacustres, mais l'ai-je entendu plus souvent ailleurs que dans ce milieu, je ne saurais dire. Le lac est un immense tambour à ciel ouvert où viennent se répercuter les sons les plus furtifs de la forêt.

Je le dirai sans fausse candeur : les truites, ce matin-là, méprisèrent les plus appétissantes mouches noyées qui aient jamais garni le coffre d'un pêcheur. Par bonheur, le matériel que j'avais par-devers moi ne se réduisait pas au seul équipement halieutique. J'avais à mes pieds, dans la pince avant du canot, un magnétophone, qui était devenu à l'époque ma seconde mémoire. Quand je sortis de sa gaine le long microphone directionnel, Pierrault comprit. Il rangea sa canne à pêche, saisit de nouveau l'aviron et me conduisit au fond d'une anse, à l'abri du vent. Avec la précision déliée d'un animal habile à chasser entre deux eaux, il maniait l'aviron en faisant autant de bruit qu'une truite croisant sous les nymphéas. C'est ainsi qu'il amena notre embarcation le long de la rive et que je pus fixer sur le ruban magnétique la petite musique que la fin d'une matinée de juin égrène dans les sombres régions où le tissu compact des résineux vient mourir dans un lac. Il me fut alors loisible de capter le sifflement taquin du Bruant à gorge blanche et le chant pointu de la Paruline masquée qui, elle-même si menue, ne cesse de répéter : « T'es petit, t'es petit, t'es petit... »

Nous allions, très satisfaits de nos « prises », quitter le fond de la baie quand se manifesta, juste derrière nous, à quelques dizaines de mètres dans la forêt, une autre paruline, parmi mes favorites, elle si différente de ses congénères par ses dimensions plus grandes et par ses habitudes. C'est la Paruline des ruisseaux, la seule avec la Paruline couronnée à préférer la proximité du sol aux évolutions dans les hauts feuillages. On la reconnaît à sa poitrine pâle rayée de brun et à la ligne blanche très accusée qui lui traverse la tête au-dessus de l'œil. Cette spécialiste de la chasse aux insectes dans les sous-bois qui bordent les cours d'eau, on l'entend souvent sur les rives des lacs. Je considère son chant comme une des plus jolies musiques qu'il soit possible d'entendre à proximité de l'eau. Le scribe à l'oreille absolue notera ainsi la transcription de sa mélodie : « Ti-ti-ti-ti-tu-tu-tu-tou-oui-you. » Irrésistible, n'est-ce pas ?

Durant l'après-midi, un pêcheur de truites digne de ce nom quitte son embarcation et se repose. Il vérifie l'état de son équipement, replace ses mouches dans leur étui, il les flatte et les assèche. En un mot, il se concentre, il se prépare pour la période la plus solennelle de la journée. Ce qui ne l'empêche pas d'entreprendre, avec ses compagnons, des conversations sur le sujet aimé. Qui donc, de nous quatre, avait cité cette phrase d'un maître ès pêche : « Amener une truite à mordre à l'hameçon, telle est depuis longtemps la grande ambition et le plaisir d'une minorité d'hommes » ?
Je me déclarai d'accord avec cette assertion, ajoutant que s'il est vrai qu'on voit surtout des hommes s'adonner à l'exercice de cet art, je devais, en ce qui me concerne, à une femme mon initiation à la pêche à la truite mouchetée, au-

trement et plus justement appelée Omble de fontaine. Et de raconter l'histoire.

J'étais à l'aube de l'adolescence, l'âge des apprentissages durables. Une de mes tantes, sœur de ma mère, personne riche d'une vitalité amusante, m'avait invité à une excursion de pêche dans le parc des Laurentides, au nord de Québec. Nous avons loué, aux Mares du Sault, une verchère et, avec nos rames, avons entrepris de remonter une noire rivière au cours lent et sinueux, rivière qui menait à un lac perdu au cœur des bois. Après la première boucle du cours d'eau, un cri de ma tante me fit me retourner : un formidable orignal était occupé à brouter des nénuphars au milieu de notre passage. On ne brusque pas un orignal à son repas. On a intérêt à fondre ses gestes avec les mouvements du paysage. Il fallut donc attendre que l'élan eût terminé ses agapes pour aller plus avant. Que faire en attendant ? Nous avons appâté nos lignes et, sous le regard hautain du Prince des lacs, nous avons commencé à pêcher. C'est là que j'ai senti ma première touche. La touche d'une truite ne ment pas : c'est, au bout de votre avançon, un signal bref, taquin, avec une nuance de frétillement énergique. Dans les fonds obscurs de la rivière, l'inconnu vient vers vous ; il vous choisit, vous, et cherche à happer la nourriture que vous, vous avez préparée avec soin. Fort des conseils de ma tante sur l'art de ferrer au moment propice, j'ai réussi à attraper ma première truite, oh, une truitelle sans doute, mais qui m'a secoué le cœur de cet émoi si particulier, prélude des vocations tenaces.

Je ne me souviens plus très bien comment se termina

cette première excursion. Je vous dirai cependant qu'elle a été suivie de plusieurs autres et que pendant dix ans j'ai passé le plus clair de mes étés à la pêche à la truite. Il n'y a pas une rivière dans les parages de Québec où l'on ne m'a vu fouetter l'air avec ma canne noire en fibre de verre. Puis un jour la vie m'a offert un cadeau. Un jeune professeur d'anglais un peu fanfaron, passionné par la pêche, rencontré un jour d'été dans la rivière Montmorency, à la pointe de l'île Enchanteresse (les noms parfois deviennent signes du destin), m'a initié aux subtilités de la pêche à la mouche.

Je n'insisterai pas sur l'adresse, la dextérité et le délié du poignet que doit acquérir un pêcheur à la mouche noyée ou flottante. La difficulté du lancer, la tactique du poser et de la présentation de la mouche, le choix du leurre selon le lieu et le moment, voilà les prémisses de cet apprentissage. Mon désir est de vous confier la qualité ineffable du plaisir que procure cet exercice. Une fois vaincus les premiers pièges techniques, le pêcheur à la mouche a tout le loisir de parfaire le raffinement de ses gestes, de s'adonner à la recherche de l'élégance et de l'application. Excellente école de maîtrise de soi. Toute pêche d'ailleurs est une école. Elle permet d'acquérir, dans le plaisir, des connaissances inestimables sur la vie aquatique et de faire des observations de premier œil sur la nature. La pêche est paradoxale : excitante, enivrante même parfois, elle conduit un jour ou l'autre à la recherche du calme et de la méditation. Un enfant y apprendra le respect du plus petit que soi, qui est le premier degré vers la bonté, la plus rare, avec la noblesse, de toutes les qualités humaines. Il y apprendra également la confiance en lui-même, la prudence, la réalité de l'espoir. Tôt ou tard le pêcheur appliqué fait face à la dimension la plus tangible du mystère : mystère des profondeurs, mystère du geste exact qu'il faut accomplir pour que les profondeurs s'animent. L'approche d'un mystère, si humble soit-il, est une des expériences les plus graves de la vie.

Ainsi s'écoula l'après-midi. Vers sept heures, quand le vent eut fléchi, les truites soudain devinrent plus actives sur le lac. Vint le moment de sauter de nouveau dans le canot et de se lancer à la poursuite des cercles que le poisson dessine sur l'eau étale quand il monte y saisir un insecte.

Voici justement qu'à portée de ligne, devant nous, un rond vient d'apparaître ! Deux plongées d'aviron : nous nous

approchons sans bruit. Le fil se déroule en formant une boucle impeccable et la mouche atteint l'eau avec la légèreté d'une graine de pissenlit se posant dans la vasque d'une fontaine. Une fulgurance bouillonnante trouble le lac ; la tension de la corde se répercute instantanément dans le poignet, dans le bras et dans tout le corps. Une détente, un éclair dans les muscles et voilà le poisson ferré ! C'est une grosse ! (C'est toujours une grosse...) Je ressens dans toutes mes fibres la vigueur de la truite qui invente les plus subtiles stratégies pour se libérer. Elle bondit hors de l'eau, gagne aussitôt le fond, cherche à se défaire de cet objet qui lui torture la gueule. Attention ! Il ne faut pas ramener trop vite. « Laisse-lui de la corde, me dit Pierrault, c'est ça, donne-lui-en, mais garde-la bien bandée, c'est bien, laisse le poisson se fatiguer. » Mon ami se met à rire en une longue cascade que nous renvoie l'écho quand je lui dis que mon cœur bat si fort que la truite doit sûrement saisir les vibrations à l'autre bout ! Finalement, après une lutte honorable, je sens qu'elle est épuisée. Elle nage maintenant à l'autre bout du fil en dessinant de grands cercles, mais sans coup brusque. Peu à peu je la ramène. Un éclair rosé soudain à fleur d'eau nous révèle les dimensions de la lutteuse : c'est une belle de belle. L'émotion alors culmine. Le moment critique est venu : sortir le poisson en évitant qu'il ne se déferre, qu'il vienne par exemple heurter de la queue le flanc du canot. Une étrange chaleur coule dans mes os au moment où mon ami saisit le fil qui est venu à sa portée, la truite cherchant à sonder sous l'embarcation. Il tire, soulève et hop !, avec la dextérité d'un expert, il saisit la truite frétillante derrière les ouïes et la soulève à hauteur de mon regard. Jamais je n'ai pris une truite aussi énorme. Longue comme le bras d'un enfant de six ans, large comme le diamètre d'une bouteille de vin.

— Et maintenant ? Qu'en fais-tu ? me demanda Pierrault.

— Un si beau vivant doit continuer à vivre, non ? Nous ne sommes pas ici pour tuer…

— … non, nous sommes ici pour jouir.

Et d'un coup de nageoire caudale, l'affranchie disparut dans les fonds sombres.

Nous pêchâmes encore une bonne heure avant de regagner la rive. Le soleil avait depuis longtemps disparu. En prenant pied sur l'étroit quai de cèdre, je me délectai un moment des notes lumineuses qu'un Bruant chanteur laissait tomber d'un bosquet de cornouillers, arbustes abondants en milieu humide. J'allai quérir le magnétophone. Juste au moment où je mis l'appareil en marche, naquirent à l'arrière-plan, l'un après l'autre, des appels stridents. Ainsi montèrent les premières mesures du récital parfois hallucinant que les crapauds nous prodiguent quand vient l'heure du loup. Les longues roulades aiguës de leur chant d'amour résonnaient si fort sur le tambour liquide que nos oreilles en furent presque agacées. C'est alors qu'il nous fut donné d'assister à une scène cocasse.

Les faibles lueurs qui persistaient dans le ciel et se réfléchissaient sur l'immense miroir me permirent de voir qu'à travers une large colonie de nénuphars de petits fantômes à demi immergés, dont j'estimai le nombre à une centaine, se mirent à nager et à s'égailler dans toutes les directions. Certains se rapprochaient de leurs semblables, d'autres montaient sur le dos de leur voisin, le tenant même complètement sous l'eau. J'étais en train d'assister à un mariage collectif de crapauds. Un souvenir alors me vint : on m'avait dit que la feuille de nénuphar avait été abondamment utilisée jadis comme philtre de chasteté, qu'elle était considérée, à tout le moins, comme souveraine pour tempérer les sangs trop voluptueux. De voir cette scène de reproduction amphibienne dans la proximité de cette plante, symbole de l'amour chaste, me parut le comble de l'ironie joyeuse.

Je n'étais pas au bout de mes émotions. Au fin fond du lac, tout à coup, le plus délicieux, le plus émouvant, le plus bouleversant des cris sauvages commença de jouer avec l'écho. Ce fut une succession de trémolos roucoulés, propres à mettre en joie le cœur le plus grave.

Le Huart à collier chantait au bout le plus sombre du lac, là où se trouve la décharge. Apparurent à ce moment, sous la véranda, Pierrault et son fils. Je les rejoignis et nous écoutâmes le concert. Puis, alors que l'oiseau lança son long cri du soir, sorte de plainte ululante toute faite, on aurait dit, pour provoquer toutes les ressources de l'écho, un de mes hôtes entreprit de raconter cette légende indienne. J'en notai, sur mon calepin, les meilleurs épisodes.

Ceci se passait en des temps très anciens. Près d'un lac bordé par la forêt d'épinettes vivait une petite communauté

amérindienne dont le sorcier avait pris avec les années un ascendant très fort sur ses gens. Il disait par exemple que la Nuit, chargée de maléfices, était le royaume du dieu Huart, qui se montrait impitoyable envers quiconque osait le défier sur son domaine.

Akim, fils du chef, se refusa à gober ces sornettes et résolut, un soir, de braver les interdits. Il sauta dans son canot et gagna le centre du lac. Le lendemain, il avait disparu, ce qui, on s'en doute, réjouit fort le sorcier. Les guerriers partis à sa recherche retrouvèrent le canot, mais d'Akim, nulle trace. Sa mère, Anapesh, alla s'asseoir sur un petit rocher et, dans sa nervosité, prit entre ses doigts un galet qu'elle commença à frotter. Les jours suivants, sur les ordres du chef, tous les hommes partaient à la recherche d'Akim. En vain. Et tous les jours Anapesh allait au bord du lac et polissait un autre petit galet. Si bien qu'au bout de plusieurs jours, elle avait poli suffisamment de galets pour s'en faire un collier.

À l'instant même où la parure fut achevée, Akim reparut, joyeux, sans trace de blessure. Le village entier l'entoura, le pressa de questions. Il raconta ce qui lui était arrivé. Son canot ayant chaviré, il coula au fond du lac. Plusieurs jours plus tard, il se réveilla tout à côté d'un nid de huarts où mâle et femelle le soignaient et le nourrissaient de poissons qu'ils allaient pêcher pour lui et leurs deux huardeaux.

Anapesh écouta cette histoire fabuleuse et demanda à son fils de l'emmener dans son canot. Au centre du lac, elle détacha sa parure de galets polis, qu'elle jeta au fond de l'eau. C'est depuis ce jour, dit-on, que les huarts portent un collier blanc autour de leur cou qui est d'un vert profond. C'est également depuis ce temps qu'ils communiquent leur joie aux humains en répandant, le soir, sur tous les lacs du nord, le long rire fou qui leur sert de chant.

Le Huart à collier, que les Européens nomment Plongeon imbrin, est l'oiseau emblème des lacs du plateau laurentien. On dit même qu'il est impossible de trouver dans tout le pays un lac de bonne dimension qui ne reçoive pas au moins un couple de huarts. Souvent je les ai vus survoler l'eau en roucoulant. Je les ai vus plonger, disparaissant pendant deux minutes pour reparaître une centaine de mètres plus loin. Je les ai vus sonder en variant la pression de leur corps et s'immerger complètement à la manière des sous-marins. Je les ai vus pédaler sur de longues distances, à la surface de l'eau, avant de prendre, dans un bouillonnement d'écume, leur essor. J'ai admiré tant et tant de fois leur silhouette racée, leur long bec noir aiguisé comme une dague, leur dos sombre moucheté de blanc et cet œil rubis qui avive une tête fière. Je les ai vus, je les ai entendus. C'est aux confins du jour que l'oiseau se surpasse et module avec l'écho. Est-il possible d'écouter plus émouvante expression sonore qu'un duo de huarts occupant tout l'espace d'une nuit d'été ? Une Montagnaise de Sept-Îles me disait un jour qu'elle avait hâte, l'automne, de « monter dans le bois » pour aller entendre les huarts avant que le gel les force à fuir le territoire natal. Elle me regarda avec beaucoup d'intensité et me dit : « Vous savez, le cri du huart, c'est le plus beau chant du monde. »

Je les vois, au printemps le plus souvent, pêchant dans les eaux du fleuve, entre l'île et le cap Tourmente. Toujours ils sont silencieux. Leur voix, ils la réservent pour le jour où ils retrouveront, par-delà les montagnes, leur domaine de nidification. Je les imagine parfois, pendant qu'ils croisent au large, en train de rêver à ces larges tambours au cœur fluide, ces îles qui parsèment de clarté le vert infini des forêts nordiques.

PLANÈTE

Peut-on croire qu'il existe, dans cette île réputée pour sa beauté, un lieu aussi banal, aussi quelconque, un lieu tellement plat et gris que jamais promeneur ne s'y est arrêté, que jamais sans doute quelqu'un n'a eu l'idée de le considérer même comme un lieu. Le nommer « non-lieu » serait déjà lui prêter attention.

Sur la rive de l'île qui regarde vers le sud, c'est la crique la plus exiguë, la plus nue, la plus rébarbative. Des crans rocheux acérés, d'une teinte grisâtre, des trous de vase aux reflets de vieille huile, des arbustes épineux, la plupart à demi séchés : rien pour attirer un pique-niqueur ou un marcheur fatigué.

C'est pourtant là, un matin de septembre, il y a dix ans, au hasard d'une promenade, que j'ai vu le Saint-Laurent devenir le monde entier. Non pas qu'il ait pris l'allure des longs fleuves aux eaux noires ou jaunes qui irriguent de lointains continents ; non pas que j'y aie vu voguer des carènes aux formes exotiques, jonques, felouques ou caïques ;

non pas qu'un dérèglement des sens m'ait fait apparaître un mirage. Non, le monde entier m'est subitement apparu parce que, sur une roche un peu plus élevée que les autres, j'ai aperçu un oiseau.

Cet oiseau-là, jamais je ne l'avais observé dans l'île, mais je le connaissais. Je le connaissais comme un des plus audacieux voyageurs du ciel, celui qui parcourt la Terre entière d'un pôle à l'autre, celui qui, durant des mois, ne connaît pas l'obscurité de la nuit, celui qui n'a pas fini de m'étonner par sa beauté, par sa vivacité et par l'impensable énergie qui brûle dans son corps.

Quand je l'ai aperçu, de loin, immobile sur sa roche, la tête contre le vent, je l'ai, au premier coup d'œil, identifié comme un goéland à cause de sa posture et de ses couleurs. Rien de plus normal ; il y est apparenté.

Mais très vite, à mesure que je m'approchais, j'ai remarqué le dos gris, le ventre blanc, la queue fourchue, très effilée, la fine tête portant capuchon noir en forme de croissant, et surtout le bec rouge sang et les pattes écarlates. Voilà les couleurs de la sterne, la Sterne pierregarin pour être précis, que plusieurs connaissent encore sous le nom d'hirondelle de mer, ou, comme c'est le cas sur la Basse-Côte-Nord du Saint-Laurent, sous celui d'istorlet.

C'est d'ailleurs dans cette région du pays, dans une île de l'archipel de Mingan, que je suis entré en contact, la première fois, avec une colonie de sternes. J'accompagnais deux biologistes qui effectuaient un recensement d'oiseaux marins ; notre canot pneumatique filait vers une des îles rocheuses, remarquables par ces monuments naturels sculptés par le vent dans la roche friable.

Nous allions toucher le rivage de galets aplatis et multicolores quand une bonne centaine d'oiseaux peuplèrent subitement le ciel au-dessus de nos têtes, filant dans tous les sens, offrant l'inoubliable spectacle de leur vol souple, léger, élastique, gracieux. On aurait dit des duvets de chardon ou des papillons flottant dans l'air, impalpables. D'autres montaient, s'immobilisaient en plein ciel, les ailes agitées d'un frisson, dirigeant leur bec rouge vers le bas et, à la manière des Fous de Bassan, plongeaient tête première dans l'eau profonde, remontaient avec un poisson qui étincelait dans leur bec. D'autres encore progressaient d'un vol nonchalant et décousu, tout près de la surface de la mer. L'instant d'après, ils étaient déjà dans les hauteurs, s'arrêtaient brusquement et viraient à la verticale : un parfait piqué les faisait disparaître dans un jaillissement d'écume.

L'embarcation toucha terre ; on la tira sur le rivage. Les mêmes oiseaux alors survinrent, nous entourèrent d'arabesques aériennes accompagnées de cris perçants. Ils nous frôlaient de si près que j'eus tout loisir de détailler leur forme svelte de grandes hirondelles pâles, leur bec et leurs pattes couleur de sang. À l'évidence, une colonie de sternes avait adopté l'île comme territoire de nidification, une colonie qui regroupait des Sternes pierregarins et quelques Sternes arctiques, reconnaisssables à leurs ventres gris et à l'absence de point noir au bout des mandibules.

Nous remarquâmes alors la présence, à quelques

mètres sur le rivage, d'une drôle de petite hutte, un demi-globe de toile, peinte aux couleurs naturelles facilitant le camouflage. Cette loge, finalement, frémit, bougea, se souleva et apparut un jeune homme qui vint tout de suite nous saluer. Il se présenta comme un cinéaste occupé, depuis dix jours déjà, à observer de sa cachette et à fixer sur pellicule le comportement d'un groupe de sternes qui nichaient à trois pas. Grâce à lui, j'appris à peu près tout sur la cérémonie nuptiale des sternes. Je n'ai pas noté sur mon calepin tout ce qu'il m'a raconté, mais ce que j'y retrouve aujourd'hui a ce qu'il faut pour combler la curiosité.

Chez les sternes, mâles et femelles sont unis pour la vie. Les plus jeunes s'apparient à l'âge de trois ans. Tous ces individus, formant une colonie, se retrouvent d'année en année sur cette plage de galets et de sable et amorcent tous ensemble la cérémonie des amours.

Le premier problème qui se présente à l'observateur est celui-ci : femelle et mâle sont absolument identiques quant au plumage. Comment vont-ils se reconnaître à travers tous les autres ? À un signe, cela est certain, mais lequel ? Il en existe sûrement plusieurs, qui échappent à nos perceptions, mais celui qui surprend le plus est l'échange rituel de cadeaux. Voici comment cela se passe.

Les sternes sont rassemblées sur la plage, immobiles sous le soleil. Paix. Silence. On voit soudain un des oiseaux, on saura plus tard que c'est un mâle, qui commence à faire des effets de torse devant ses congénères : son cou est tendu,

son bec est pointé vers le haut, sa poitrine se bombe. Puis il s'envole. À son retour, un poisson enroulé autour du bec, il se présente devant une autre sterne (on comprend que c'est la femelle), il se pavane devant elle, pivotant sur lui-même, dansant, traînant la pointe de ses belles ailes effilées dans le sable. La femelle alors s'avance vers lui, les ailes déployées, le bec ouvert, dans une attitude d'attente. Le mâle lui passe, de bec à bec, le poisson, qu'elle accepte. Elle le tient un moment, le remet au pêcheur, qui l'offre de nouveau. Finalement le cadeau est avalé. L'instant d'après, de conserve, ils prennent tous deux leur essor. Ils montent, leur blancheur resplendit dans la lumière, ils dessinent les plus fabuleuses acrobaties aériennes, se touchant, s'empoignant presque, comme le font les hirondelles en pariade. Ils mettent fin à ce bain d'azur par une brève glissade qui les reconduit à l'endroit exact où ils se trouvaient avant l'envol.

Parmi les révélations du cinéaste notées sur mon carnet

se trouvent celles où il est question de l'agressivité si particulière, si cuisante, que les sternes manifestent quand vient le moment de défendre leur nichée. Comme les hirondelles, les pierregarins viendront vous houspiller en vous frôlant les cheveux, en claquant du bec et en vous dardant de leurs cris pointus comme des aiguilles. Les Sternes arctiques, quant à elles, n'hésiteront pas à vous attaquer pour de vrai, à vous toucher la tête avec leurs pattes ou, moins souvent, avec leur bec.

C'est ce qui est arrivé d'ailleurs à notre ami. J'ai noté sa narration avec ces mots :

« Un jour, je traversais le territoire d'une Sterne arctique. L'oiseau me fit savoir sa désapprobation par des cris stridents, des « tîîîrrr » répétés et lancinants, manifestement agressifs, et surtout en venant m'assener un vigoureux coup de patte à la nuque. Je continue d'avancer, bien décidé à trouver son nid. Mais l'oiseau continue d'effectuer, de la manière la plus gracieuse, je dois le dire, ses vols d'intimidation, des vols venant de toutes les directions de la rose des vents, visant, c'était manifeste, à m'étourdir, à m'affoler. Jamais je n'ai vécu une expérience aussi troublante. »

Ces faits me sont revenus à la mémoire, ce matin de septembre, au moment où j'ai aperçu, dans la petite crique de l'île, la sterne solitaire. Mais j'ai surtout pensé, en la voyant, à un des traits de son comportement, trait si remarquable qu'il n'a son pareil chez aucun autre oiseau. J'avais là, devant moi, avec cet oiseau gracile et d'allure si raffinée, le voyageur ailé qui parcourt la plus longue distance en une année, réunissant en un même périple les deux pôles de la planète. Voyons cela plus en détail.

Il arrive donc que les Sternes arctiques nichent en compagnie des Sternes pierregarins. Les deux espèces ont des mœurs identiques. Mais, une fois la saison des amours achevée, à la fin de l'été, elles se séparent. Les pierregarins s'envolent directement pour l'Amérique du Sud. Les Sternes arctiques, celles qui fréquentent la côte américaine ou la Côte-Nord, remontent vers Terre-Neuve. Là elles rencontrent leurs sœurs qui ont nidifié plus au nord. Toutes ensemble, elles entreprennent la traversée de l'Atlantique, atteignent les côtes de l'Europe où elles s'unissent aux sternes du Vieux Monde, et descendent vers les îles Canaries. Elles longent ensuite la côte occidentale de l'Afrique jusqu'au cap de Bonne-Espérance. Il arrive même qu'elles le contournent pour pousser une pointe du côté de Madagascar. Mais la plupart vont plus au sud encore, jusqu'au cercle polaire antarctique. Le printemps suivant, elles repartiront, pour faire le voyage inverse. En un an, elles auront couvert une distance de quarante mille kilomètres !

Comment peut-on être sûr du tracé de cette étonnante voie de migration ? En fait, cette route n'est connue que depuis une soixantaine d'années, grâce aux travaux d'un Américain qui entreprit de baguer des sternes au Labrador. Voici quelques résultats de ses recherches :

Une Sterne arctique, baguée au Labrador le 27 juillet 1927, fut retrouvée près de La Rochelle le 1er octobre de la même année.

Une autre, baguée au même endroit le 23 juillet 1928, fut retracée au Natal, en Afrique du Sud, le 14 novembre. Elle était à quatorze mille kilomètres du Labrador.

Une autre encore, marquée par les Danois sur la côte ouest du Groenland, signala sa présence en Afrique du Sud, à une distance de seize mille kilomètres. Cette performance demeura longtemps le record de distance parcourue par un oiseau. Jusqu'au jour où l'on repéra, au large de l'Australie, une Sterne arctique baguée, quelques semaines plus tôt, sur le littoral russe de l'Océan arctique. Elle était à vingt et un mille kilomètres de chez elle.

Mais l'aspect de la vie des sternes propre à fasciner l'esprit du plus blasé parmi les hommes, je ne pus m'empêcher d'y penser en regardant ma sterne solitaire. Comme plusieurs de ces oiseaux nichent et hivernent à des latitudes où le soleil ne se couche pas, elles représentent, parmi les êtres vivants, ceux qui jouissent, chaque année, le plus longtemps de la clarté du ciel.

Voilà comment une simple rencontre de hasard, dans un tout petit lieu de ma géographie personnelle, situé si près de ma maison, me fit voguer, en quelques minutes, tout autour de la planète entière.

RONDEUR

Je vois la maison de mon grand-père Castor, plantée presque au bord de la falaise qui regarde, au-delà du fleuve, l'anse de Beauport, la chute Montmorency et l'île d'Orléans. Il y a une vingtaine d'années, un soir d'avril, j'ai amené chez lui deux camarades de la radio, croyant qu'il me serait facile, vu son bagout, de le convaincre de nous laisser enregistrer ses paroles. Il nous a dit :

Entrez, entrez. Tirez-vous des bûches, il y a des chaises pour tout le monde. Je veux d'abord vous dire que je parle pas dans votre radio. Je suis pas un vrai diseur de contes. Dans la famille, le conteur, c'est Herménégilde, qui m'a devancé de quinze mois dans la taille de notre mère. On nous l'a ravi l'année passée. Quatre-vingt-sept ans. La force de l'âge !

Oui, en général je parle d'abondance. Je parle en ruisseau, comme disait mon père, parce que je sais que ce que je dis, ça restera pas. Il y a déjà assez de mots qui défilent dans le monde. Si on se met à garder toutes ces paroles-là en banque, ça va te faire un prône d'enfer quand ils vont les sortir bout à bout.

Pas dans votre radio. Mais je vas parler. Je peux pas m'en empêcher. Va donc fermer le bec d'un creuseur ! Mais comme je parle le vieux français que j'ai entendu dans mon petit temps, et qu'on veut plus écouter ça aujourd'hui, alors mon petit-fils, Pierre, qui s'adonne aux écritures, d'après ce que j'ai pu comprendre, va venir s'assire là, en face de moé, dans la berçante de sa défunte grand-maman, puis avec son crayon, il va nous tourner ça en bonne comprenure.

Je vas quand même faire attention à mes histoires. Oubliez pas qu'on est un Vendredi saint. J'ai pas mangé beaucoup de balustres dans ma vie, mais je sais que le bon Dieu a pas traîné sa grand-croix pour nous entendre, un jour comme aujourd'hui, faire les fins-fins.

À mon âge, une chose est sûre : on est plus proche du ventre de la terre que du ventre de sa mère. On est pas loin du grand passage, veux, veux pas, même si je peux accoter bien des jeunesses dans une tire aux poignets. Mais, à soir, j'aspire seulement à me bercer en paix au ras de mon poêle, à fumer ma pipe et à penser à mes beaux vieux péchés. Je vous l'ai dit : je conte pas d'histoires. D'ailleurs un bon diseur d'histoires, pour faire plaisir à l'assemblée, est quasiment obligé d'entrer dans les menteries, et je le voudrais pas, en respect pour Celui qui s'est fait transpercer par tous les harpons qu'ils ont pu trouver.

Pour répondre à votre question, vous, le taquin, je vous dirai que mon nom est un sobriquet qui me vient de mes dents, même s'il m'en reste pas beaucoup. Quand j'étais jeune, j'avais des belles grandes palettes pour mordre dans le plaisant de la vie. Faut que je vous dise aussi que mon vrai prénom, c'est Adjutor.

Je le sais : vous êtes venus me voir pour m'entendre conter la fois où je me suis crucifié. J'aimerais mieux vous parler de cette aventure-là un autre jour qu'aujourd'hui, mais si vous insistez...

C'est pas d'hier. Je devais avoir quarante, quarante-deux ans. Quelques jours avant Pâques, Gérard, le frère de ma deuxième épouse, Léose, me demande d'aller l'aider à construire sa maison, juste dans le déviron du chemin du Moulin, à Beaumont. J'arrive là, au petit matin, j'attache Lulu, ma jument, à un arbre, et on commence à travailler. Dans le mitan de l'après-midi, le Gérard lance un cri : « Castor, Lulu se détache ! »

Ah ben ! Je fais ni un ni deux, je lâche le marteau, je saute d'un chevron à l'autre comme un mouflon dans les Rocky Mountains, je viens pour descendre, trouve pas l'échelle. Je décide de sauter sur le plancher d'en bas, à travers les madriers. Vas-y, mon écureuil !

En m'échouant en bas, je ressens un éclair de mal me passer à travers la bottine. Je regarde comme il faut : un grand clou neuf qui dépassait de deux pouces au-dessus du pied gauche. Mon sang commençait à pisser. Je crie à Gérard qui était en train de clouer dans le soubassement : « Aidemoé à me décrucifier de là, morgueux ! » Il finit par arriver, il jette un œil… Vous savez ce qu'il fait, le petit aigrefin ? Il choisit de faire de la toile, les quatre fers en l'air, les yeux dans le blanc de la tête. J'étais ben avancé. Pas un voisin à qui lancer des S.O.S. Au moins, dans mon aria, j'avais une consolation : Lulu s'était détachée, mais elle s'éloignait pas des alentours de la maison. Je lui lâchais une bonne parole de temps en temps.

Je me suis dit : Faut que j'attende que le Gérard reprenne ses esprits.

Entre-temps, par les ouvertures du nord, je voyais la côte de l'île d'Orléans qui était presque toute déblanchie rapport au printemps qui commençait à chauffer. Je me disais : Castor, va pas passer cet après-midi, toé. Un jour, tu iras creuser des beaux puits artésiens dans l'île. Tu peux pas priver de belle eau pure les cultivateurs qui, sans même le savoir, comptent déjà sur toé. Tu serais dans le genre d'une espérance pour ce monde-là.

Je regardais mon pied. Je regardais le beau plancher frais qui devenait rouge tout partout. Là, je serre les dents et je commence à parler à ma vie : toé, mon souffle de vie, je te lâche pas ! Je te tiens par les ouïes, ma bonyenne. Je suis pas arrivé au bout de mon rouleau. Je t'aime, mon souffle de vie, je veux pas te perdre, je te tiens.

Depuis ce temps-là, j'ai toujours vécu chaque journée comme si c'était la dernière.

Je vas vous dire ce qui est arrivé après.

À un moment donné, je me tanne. Je lâche un grand

cri : « Gérard, sors des limbes ! » Finalement, à force de
l'agonir, il finit par se remettre debout, les yeux tout éga-
rouillés comme un enfant que tu réveilles en plein cœur de
minuit. Il me dit : « Castor, vas-tu porter malheur à ma maison ? Sais-tu que tu t'es cloué un Vendredi saint ? »

Je lui mets l'arrache-clou entre les mains. « Descends
dans la cave et va m'arracher c'te douleur-là, vite ! »

Je vous conte pas de peurs : quand il a tiré sur le grand
clou, j'ai pensé que je m'en allais, tant ça faisait mal. J'avais
un peu d'eau dans les yeux, mais j'ai pas tombé faible. En
serrant les mâchoires, je me suis bandé le pied avec mon
foulard (Gérard était allé chercher la jument), rien que sur
une béquille j'ai sauté dans ma carriole et vas-y donc, ma
belle Lulu, amène Castor chez le docteur !

Je peux vous montrer la cicatrice, si vous voulez.

Bon. Vous me demandez si j'ai déjà assisté quelqu'un
en devoir de faire le grand passage. Comment donc ! Nous
autres, les hôpitaux, on connaissait pas ça. Les gens passaient chez eux, dans leur propre lit, habillés de leur linge,
entourés de leur monde. Moé qui vous parle, j'ai tenu la
main de mes deux dernières femmes quand elles sont dé-
funtes. Ma première, Fédéra, elle a soufflé trop vite sur la
chandelle, elle m'a pas attendu, je suis arrivé à la maison,
c'était fait.

L'aventure la plus émotionnante qui m'est arrivée, c'est
en rapport avec mon propre père, Louis, natif de Port-Joli,
qui s'est rendu jusqu'à quatre-vingt-seize ans. Dans les

dernières années, il voyait mal d'un œil, mais il marchait encore carré sur ses jambes, il avait pas les cuisses courtes. Ça travaillait dur, ce monde-là. Jamais ça rebichetait sur l'ouvrage. Pour faire plaisir à son vieux cœur, chaque soir avant de se coucher, il sortait sa bouteille de cordial, il s'en versait une cuillerée à soupe, il buvait goutte à goutte, les yeux fermés, il rebouchait le flacon. Une cuillerée, pas plus. Moé, la boisson, j'ai jamais pu me retenir ; alors j'ai arrêté ça depuis longtemps.

Mon père a commencé à naviguer à l'âge de seize ans. Il s'embarquait au printemps sur un chalutier pour Terre-Neuve, puis il rentrait à Québec avec les premières glaces. C'était le meilleur homme du capitaine Eusèbe Létourneau de Saint-Jean de l'île. Savez-vous ce qu'il lui donnait comme salaire ? Un baril de harengs salés et une paire de belles bottes neuves. Sept ans il a navigué. Quand il s'est marié, il est pas devenu tout de suite cordonnier, il a commencé par travailler le bois dans la boutique de son beau-père, mon grand-père Gaudiose. C'est là qu'il a appris à construire des embarcations, des chaloupes de tous les gabarits.

Écoutez. Si je me mets à vous conter toute sa vie, vous allez être encore icitte la semaine prochaine. Je vas vous conter sa dernière journée.

Durant ses dernières années, il restait tout fin seul dans sa maison. Ses vieux compères venaient jouer aux dames, ils parlaient, ils fournissaient pas de parler. Puis il s'est mis à perdre lumière à tout bout de champ. Tellement que le Josaphat Boucher, un midi, l'a trouvé en bas de sa chaise berçante, il avait piqué du nez dans un tas de journaux à ses pieds. Ma jeune sœur Alice est venue lui tenir compagnie. Elle faisait son possible pour qu'il garde la chambre, mais au petit jour il se levait pour nourrir son serin, il s'assisait dans sa chaise, il regardait le fleuve et la pointe de l'île. Un soir il s'est levé de sa chaise, il a demandé à Alice de le laver comme il faut, de lui faire la barbe, de l'habiller en dimanche. Après il s'est couché. Ma sœur m'a fait venir, je suis arrivé, elle m'a dit qu'il avait déjà perdu la parole. Son chapelet avait cessé de grouiller dans sa main, mais il respirait encore. On l'a assisté de même une couple d'heures, le vicaire est venu lui donner les dernières huiles, il est reparti. Nous autres on essayait de lui parler, mais il s'en allait mollettement, comme un soleil qui se cache sur le coup de neuf heures en été.

Tout d'un coup il se met à chercher avec sa main. Je lui donne la mienne, je lui dis : « Vous voulez quelque chose, papa ? » Non, les vrais mots que j'ai dits, je suis pas gêné de l'avouer, c'est : « Tu veux quelque chose, mon p'tit gars ? » Bizarre, hein ? Il a pas ouvert le regard, mais il me répond juste en bougeant les lèvres : « Castor, la chaloupe est-i parée ? » Je viens pour dire : « Voyons, ça fait vingt ans que vous avez vendu votre dernière verchère. » Je comprenais pas, mais c'est comme si je comprenais autrement qu'avec le ciboulot. Alors j'ai répondu : « Oui, mon p'tit gars, elle est en bas, sur la grève Gilmour. Les rames sont dedans. »

Là, son souffle a changé. Il a commencé par faire entendre un son, un genre de ronronnement, un grommellement d'étrangeté qui venait pas seulement de sa gorge. Il parlait sans paroles. Il chantait en même temps, lui qui avait jamais sifflé un air de toute sa vie. Une vraie musique c'était, les enfants. Pas la musique qui se joue dans la radio, non, plutôt la musique qui passe dans les arbres au bord des grandes rivières, quand on est couché à terre pour passer la nuit à la belle étoile.

C'est là que ma sœur a dit : « Castor, il voit des choses qu'on peut pas voir. »

Ce moment-là a duré un bon cinq minutes. Puis il a levé la poitrine une dernière fois. Il a donné un souffle qui montrait qu'il avait pas un brin de mal, pas un brin de résistance.

Il était proche de minuit.

Bon (il se dérhume). Je m'en vas vous conter un fait. Attendez, je vas ranimer la forge (sa pipe).

Je pourrais pas me rappeler l'âge que j'avais. Comme à toutes les automnes, durant les hautes mers d'octobre, je pars pour la pêche à l'éperlan sur le quai du grand chantier maritime, juste icitte, pas loin, vers l'ouest. Je suis fin seul comme la botte à Pomerleau, mais c'est ce que j'aime, je raffole pas de pêcher en troupeau. J'ai pas un caractère seul, mais j'ai, comme qui dirait, une entente espéciale avec les poissons !

Sur la fin de la marée baissante, aux approches de minuit, mon panier est chargé à ras bord, je dégreye. Je viens pour remonter ma lanterne, que j'ai fait descendre le long du quai. Mais quoi ? La corde est accrochée à une tige de fer qui saille à fleur d'eau. Je tiraille dessus de toute ma capacité : tout d'un coup, je sais pas ce qui se passe, ça donne un terrible coup sur la corde, je dégringole de haut en bas du quai, la calotte la première dans l'eau frette. Habillé pesant comme je suis, vous pensez ben que je coule dangereusement en bas de la ligne de flottaison. L'idée me vient de m'accrocher après la damnée pine de fer, je viens pour lever le bras, il veut pas bouger. Je prends un de ces bouillons de glace, mais juste à ce moment-là, je me sens agrippé par le chignon du cou et tiré fort, par le soubassement des culottes, dans quelque chose de ferme. Je relève la tête, me démouille les yeux. Qui c'est que j'aperçois devant une drôle de lumière qui est quasiment pas une lumière, mais qui permet de voir assez franc ? Un gars avec une face de lune, une face pivelée comme un œuf de dinde, mais joviale comme rarement une face d'homme peut l'être. C'est quand je l'ai entendu rire que je l'ai reconnu :

— Fred Carette ! Veux-tu me dire qu'est-ce que tu fais icitte ?

— J'étais là, Castor. Je peux pas te laisser tomber au moment où tu as le plus besoin de moi, mornouche !

— Fred Carette ! J'en reviens pas. Le même Fred qui a passé sa vie à ramer le fleuve dans sa belle chaloupe blanche, à croire qu'il est venu au monde au fond d'un canot. Fred Carette, le portrait tout recopié de son père. Le même grand Fred qui me traversait à l'île quand j'allais creuser mes premiers puits. J'en reviens pas. Dis-moé donc : c'est-i la même embarcation ?

— Nous autres, on change pas souvent de chaloupe. Et on a le pied marin. C'est un fait que tous les Carette ont le pied marin. As-tu froid, Castor ?

— Ben non, tiens. Ni chaud ni frette. Après la plonge que je viens d'exécuter, tu penses pas que je devrais avoir attrapé mon coup fatal ? J'ai même pas la chair de poule.

— C'est normal. Veux-tu une lampée d'espérette ? Le flacon est sous ton banc.

— J'ai pas soif.

— Castor Morin a pas soif ? Même pas un misérable ? C'est un bon petit blanc de patates qu'un gars du canton a laissé là la semaine passée. De toute façon, là où je le conduisais...

— Je sens une soif, mais pas une soif de boire. C'est une soif qui me prend au bout du gros orteil et qui dépasse mon chapeau.

— C'est normal, Castor.

— Eh Fred, où c'est que tu m'amènes ? C'est par là, la grève. Je connais le fleuve. Tu t'en vas drette au nord.

— As-tu perdu confiance ? Laisse-moi ramer. Je sais où je m'en vas.

— T'as envie d'aller faire un tour au Château Bel-Air, hein ? Dis-moé donc : quand est-ce qu'on a traversé ensemble la dernière fois ?

— Ça doit faire dans les trente-cinq, quarante ans.

— Sais-tu que t'as pas changé d'un poil ! Toujours aussi fort, toujours aussi serviable pour le monde. As-tu déjà eu de la malice dans le cœur, toé ?

— Comme disait mon propre père : nous autres, dans la famille, on a pas le cœur où c'est que les poules ont l'œuf...

— Je vas te donner un coup de main. Je suis pas à bout d'âge. Je déborde, morgueux ! Tu aurais dû me voir ces derniers temps : les femmes changent de trottoir quand elles me voient venir ! (Il rit.) Laisse-moé les rames. Histoire de m'assouplir les omoplates.

— Pas fatigué. Je rame comme je respire. Je sais pas ce que c'est, l'essoufflement.

— Sais-tu une chose ? Les puis artésiens que j'ai creusés tout partout dans la Province pendant cinquante ans, c'est le plus grand service que j'ai rendu au monde. Les riches, les pauvres. Tu me diras que j'étais payé pour ça, mais du travail fait avec cœur c'est pas seulement avec des piastres que ça se paie. J'ai tellement aimé forer, Fred ! Il me semble que toute cette bonne eau-là que j'ai faite sortir de terre, c'est là pour la grande éternité.

— Tu vas trouver récompense, c'est certain. De nos jours, trouver une vraie source, c'est aussi important que de sauver des gens.

— Oh ! mais par exemple, c'est drôle, ce qui est en train de se passer !

— Quoi donc, mon ami ?

— Sur le ventre de ton grand ciré blanc, en un éclair d'instant, je me suis vu. Je me suis vu en petit gars de cinq ans. J'étais dans la boutique à bois, chez nous, en train de peinturer une belle doris que mon père avait mis l'hiver à construire. Il rentre en coup de tempête, il m'arrache le pinceau des mains, il me chauffe une oreille. Je rase de voir la lune en plein jour. Je peux pas m'empêcher de pleurer, je tourne la tête vers lui : « Papa, je voulais juste vous aider à finir votre beau bateau. Je voulais vous faire un cadeau pour votre fête. » Tiens, une autre image sur ton ventre. Je me vois à la petite école. Je suis le chouchou de la petite maîtresse Hallé. Je l'aimais donc. Je faisais des fautes exprès dans mes dictées pour qu'elle vienne se placer derrière mon épaule et laisser couler dans mon cou son bon souffle chaud.

— Là, je te reconnais.

— Ça passe vite ces images-là. Celle-là, par exemple, je l'avais oubliée depuis longtemps. Un beau dimanche, pendant que mon père est parti en ribote (il lui arrivait de partir des deux trois jours sans rien nous dire) ma mère tombe malade des bronches. Je suis tout seul avec elle à la maison. Il faut faire quelque chose, vite, vite, l'amener au docteur. Je réfléchis pas longtemps, je sors le vieux tilbury d'antiquité, je prends ma mère qui commence à bleuir, je l'installe, je me place en cheval entre les deux brancards et allons-y, mon Castor, au galop ! La langue aux genoux. Au loin, je vois le toit de tôle rouge de la maison du docteur qui reluit au soleil. Je me braque sur c'te reluisance-là et je galope. J'ai quatorze ans, Fred, et je viens de sauver la vie de ma mère. Ça passe trop vite, je peux pas dire tout ce que je vois en petites vues sur ton ciré blanc. Tiens, là, je vois le vieux Oscar Pomerleau, debout sur sa jambe de bois, qui est en train de me montrer comment trouver une source avec une branche de coudrier. Il me dit : « Mon Castor, t'as tout ce qui faut pour devenir un bon sourcier. » Ah ben là, par exemple ! Daisy ! Daisy, ma première jument baie, mon premier vrai bonheur. Elle, elle m'a rendu service quand j'allais voir mes blondes jusqu'à Montmagny. Mais… veux-tu me dire…

— Il y a quelque chose qui va pas ?

— Où c'est qu'on est rendus ?

— On traverse le fleuve, tu vois bien.

— On entre en plein dans un banc de brume. On voit déjà plus rien.

— C'est normal.

— J'ai déjà vu des brumes sur le fleuve, mais jamais comme celle-là. Comme une bruine de lait. Ça rosit à c'te heure. Ça change de couleur comme un feu chalin, une aurore boréale.

— C'est normal. Tiens ! Regarde donc ça, à babord.

— Un marsouin ? Un loup-marin ? Tu parles d'une drôle de bête qui garde la tête hors de l'eau. Fred ! Je rêve ! Un marsouin avec une tête de femme ! Qu'est-ce que tu fais là, au beau milieu du fleuve, Fédéra ? Toé qui as toujours eu peur de l'eau pis du savon. Tu viens encore me tourmenter avec tes yeux malins ? Ça fait mille fois que je te le dis : c'est pas de ma faute si t'es morte toute seule. J'étais pas en garouage avec des amis, je me désâmais à bûcher de l'aube à la brune au fond des bois. Si je suis pas venu tout de suite quand t'es tombée malade, c'est que l'Aldémont Bouchard est arrivé avec trois jours de retard pour m'avertir. Il s'était trompé de chantier, le p'tit gueux ! Va-t'en ! Arrête de me tourmenter. Non, j'y vas pas dans l'eau avec toé. Fred m'a pas sorti de là pour me voir y retourner.

— (Avec une grande douceur.) Regarde en avant, Castor, au loin. Tu vois rien ?

— On est dans la brume la plus épaisse que j'ai jamais vue.

— Au bout du banc de brouillard, vois-tu quelque chose ?

— Non.

— C'est normal. Sacré Castor, tu as vraiment une dure passée. Faut dire que je m'attendais un peu à ça.

— Qu'est-ce que tu veux dire ?

— À tribord, à c'te heure !

— Ah ben ! Léose, ma deuxième ! La tête de Léose accrochée après un corps de loup-marin. Donne-moé une gorgée d'espérette. C'est fort comme le sacre, ce whisky-là. Es-tu encore là ? Mais oui, elle veut pas caler.

— Regarde plutôt en avant de la chaloupe, au-dessus de ma tête. Vois-tu une lumière ?

— Je vois pas de lumière, je vois rien que la tête de Léose, morgueux ! Attends. Je vas lui parler. Léose, j'ai pas envie d'aller me noyer. Laisse-moé faire mon voyage à l'île. Je me suis remarié en troisièmes noces, je peux pas partir avec toé. Tes reproches, je les accepte pas. C'est quand même pas de ma faute si t'es morte en couches. Tu voulais montrer ton intimité à personne d'autre qu'à ta belle-sœur qui était même pas une vraie sage-femme. Elle avait toujours le nez piqué, elle buvait en cachette. Une faiseuse d'anges.

Laisse-moé tranquille. C'est fini, ces histoires-là. Je me suis remarié. Certain que c'est pas mon Antonine qui va venir me faire des reproches.

— Guette la lumière, Castor. Guette. Laisse-toi pas déporter par ces images-là. C'est pas réel. Ça pousse dans ta tête.

— Tu vas encore me dire que c'est normal ?

— Mais oui, mon vieux, c'est normal. Guette la lumière. Affile ton regard. Mets toute ta force dans tes yeux. Juste devant le bec de la chaloupe, au loin, vois-tu ?

— Fred ! Je vois un point. Une petite lueur tremblotante. Ce serait-i que la brume lèverait ?

— As-tu déjà vu une brume qui finit pas par s'évanouir ?

— Je vois… je vois…

— Tu vois quoi, Castor ?

— Derrière toé. Vois-tu la même chose ? Une belle petite île. Je connais pas le fleuve comme tu le connais, mais je l'ai pas mal navigué dans mon jeune temps. Jamais vu c't'île-là, moé. Regarde donc ces beaux grands arbres. On dirait des chênes, des tilleuls, des merisiers, du beau bois rare. C'est rempli de toutes sortes d'oiseaux. Pourtant ils sont presque tous partis pour le grand Sud. Une belle petite île ronde. Ronde comme quoi, donc, Fred ?

— Comme un besoin d'être toujours en vie ? Ou ronde comme l'amour qui ne veut pas finir ?

— Comme ça, oui.

— Ou bien ronde comme la femme ? Ou ronde comme une belle petite tête d'enfant ?

— Oui, c'est ça.

— Ou ronde comme les cailloux qui ont beaucoup vécu dans le fil des rivières ? Comme tout ce qui roule, comme tout ce qui s'use ? Ronde comme un fond de bateau ?

— Ronde comme ça, oui.

— Ronde comme un animal qui dort ? Comme la croupe du cheval ? Ronde comme la tête d'une chouette ? Comme les si beaux nids des oiseaux ? Comme les vieilles montagnes ? Ou ronde comme la main du vent sur les dunes, ronde comme un remous, comme une vague, comme la terre, comme le soleil, comme toutes les étoiles du ciel ?

— Oui, oui, oui, Fred. Ronde comme tout ce que tu dis.

— Tu vois rien d'autre ?

— Entre les branches, au fond du bois, mais je sais plus si c'est au fond du bois, ça a pas de lieu précis, je vois une clarté. Une belle lueur. Pas de mot pour dire la couleur de c'te lueur-là. Tu connais cette île-là, toé ?

— Manquable ! (Il rit.) C'est l'île au Fanal.

— Au Fanal ?

— Tout un chacun la connaît, mais il y a personne qui se souvient qu'elle est là, au milieu du fleuve.

— Mais un fanal, ça s'allume pas tout seul ! Rame !

— Fixe la lumière, Castor, fixe. Ça tire la chaloupe, j'ai même plus besoin de changer mon allure. C'est ça, mon ami, laisse-toi prendre.

— Je vois pas de maison. Ça a pas l'air d'un bâtiment

de lumière, c'est pas juché assez haut dans les airs. Ça rase le sol et ça éclaire le pignon des arbres en même temps. Rame, Fred, rame !

— Laisse-toi prendre. Oui, comme ça. Sacré Castor, je suis content pour toi. J'ai rarement vu un gars se laisser tirer de même. Je savais pas que tu aimais la lumière à ce point-là…

— On touche la terre. Mais… qu'est-ce que c'est ? Une forme blanche sur la grève. Regarde. Là !

— Un cheval. Il va te conduire où tu veux aller.

— Pis toé, Fred ? Fred ! Où tu vas ?

— (De loin.) T'as plus besoin de moi. T'es passé, Castor, t'es rendu !

Son beau rire s'est évanoui petit à petit.

Tiens, ma pipe est morte. Attendez que je la ressuscite. Bon.

Faut que je sois honnête avec vous autres : ce que je viens de vous conter, eh ben, c'est pas arrivé. C'est pas arrivé, mais si je vous ai présenté le sujet de c'te manière-là, c'est que je calcule que ça va se passer comme ça, quand mon temps sera tout brûlé.

Une chose est certaine : j'ai tous mes poils secs, j'ai pas peur.

J'ai pas beaucoup entretenu ce sentiment-là dans ma vie. La seule peur que j'ai connue, c'est qu'il arrive un malheur à mes gens, à mes femmes, à mes enfants quand j'étais loin de mon foyer. Un père de famille peut pas faire autrement que de sentir une main lui serrer le dedans quand il pense à sa maisonnée. Il peut arriver tellement de choses aux enfants. Ma Philomène, ma fille, je l'ai perdue, j'avais quarante ans. Électrocutée par un fil tombé en pleine rue, juste devant chez nous. C'est la plus grande peine qui peut arriver à un être humain : perdre un enfant. Jamais on se remet de ça. Jamais. Il y a une mort qui s'installe au fond de nous autres. C'est peut-être c'te mort-là qui prépare la place, en dedans, à ce qui va venir un jour ou l'autre.

Mais j'ai pas peur de mon grand passage. C'est parce que j'ai pas peur de mon passage que je suis encore d'aplomb dans mes quatre-vingt-cinq ans. Si une personne a peur du jour où elle va graisser ses bottes, c'est qu'elle s'est jamais arrêtée à y penser comme il faut. Je dis pas qu'il faut passer tout son temps à jongler avec des idées sombres ; je suis pas craqué. Ce que je veux dire, c'est qu'une personne qui perd sa mort, elle perd sa vie. Pour gagner son grand passage, faut être éclairé là-dessus. Mais personne peut venir nous mettre de force une lumière dans le mou de la tête. C'est à nous autres tout seuls de trouver ça.

Moé, par exemple, quand je creusais mes puits pas loin du fleuve, pendant que la foreuse piochait dans le beau tuf rouge, je m'assisais sur un madrier à ras de la forge (on allumait un feu de charbon pour affûter les bittes qui s'usaient) je m'assisais, pis je regardais passer le courant. Je cherchais quelque chose au-dedans de moé, mais je savais pas quoi. Un bon jour, quand mon père a passé, il s'est fait un éclaircissement. Je me suis dit : ce serait-i que tous nous autres, on s'en irait vers une île ? L'île au Fanal, oui, l'île au Fanal.

Quand un gars saisit ces choses-là, il devient un homme.

Les femmes, elles autres, on dirait qu'elles sont parées plus jeunes pour savoir le fond de la vie. Là, je parle en général, parce que je les ai pas toutes connues ! (Il rit.)

Je parle trop. Vous allez dire : c'est une gueule de ferblanc, ce Castor-là.

Bon. Je suis fatigué. C'est fini. Je vas couvrir la cage de mon serin, je vas me gréer pour la nuit. Faut que je sois franc sur mes deux jambes demain. La lumière vient au monde de bonne heure à ce temps-ci de l'année.

TABLE

Le chemin qui marche   11

Origine   19

Creuser   29

Présence   49

Chaloupe   61

Clarté   71

Époque   87

Caravane   101

Mitan   123

Soulier   137

Feu 153

Masque 169

Rouge 185

Tambour 199

Planète 221

Rondeur 231

MISE EN PAGES ET TYPOGRAPHIE :
LES ÉDITIONS DU BORÉAL

ACHEVÉ D'IMPRIMER EN SEPTEMBRE 1996
SUR LES PRESSES DE L'IMPRIMERIE GAGNÉ,
À LOUISEVILLE (QUÉBEC).